23 06 2012

Grammatica voor iedereen   voor Robbert
van Frida

GRAMMATICA
voor iedereen

Frida Balk-Smit Duyzentkunst

Sdu Uitgevers, Den Haag

Dit boek is eerder verschenen onder de titel
Grammatica van het Nederlands (90 5797 070 8).

Omslagontwerp: Scherphuis | Snijder BNO, Loon
Zetwerk: Velotekst, Den Haag

Meer informatie over deze en andere uitgaven kunt u verkrijgen bij:
Sdu Klantenservice
Postbus 20014
2500 EA Den Haag
tel.: (070) 378 98 80
fax: (070) 378 97 83
www.sdu.nl

ISBN 978 90 12 077 7
NUR 624

Inhoud

Inleiding

Taal is iets geheimzinnigs. Dat ik dit opschrijf en dat u het kunt lezen, het blijft wonderlijk.

'De gekantelde vrachtwagen versperde beide rijbanen.'

Je ziet het voor je.

'Een karper stak zijn hoofd boven water en keek om zich heen. Hij had een muts op.' (Toon Tellegen)

Ook dit zien we voor ons. Niet alleen de harde werkelijkheid, maar ook gebeurtenissen die daar helemaal niet in voorkomen halen we als vanzelf te voorschijn uit de letters. De letters zelf vertonen geen enkele gelijkenis met een vrachtwagen of een karper, het is de taal die ons dit alles voor ogen tovert. Want we hebben leren lezen en schrijven. Om dat te kunnen moet je heel wat van de taal weten. Zo moet je weten wat een woord is. En een zin. Jawantandersouwutmarunonontwarbarebendewordedatiseker. Ook moet je iets weten van werkwoorden, zelfstandige en bijvoeglijke naamwoorden en je moet in een zin het onderwerp kunnen aanwijzen. Dus wie kan lezen en schrijven beschikt over grammaticale kennis.

Over grammatica bestaan veel misverstanden. Bijvoorbeeld het misverstand dat 'grammatica te moeilijk is voor kinderen van de lagere school', aldus een 'onderwijskundig' pressiegroepje in de jaren zeventig. Met grammatica zijn die leerlingen sindsdien dan ook haast niet meer lastiggevallen. De leraren weten het ook niet meer zo goed. In recordtempo kwamen obscure commissies met voorstellen die grif door de wetgevende autoriteiten werden overgenomen en uitmondden in het bureaucratisch terrorisme dat van ons taalonderwijs een puinhoop heeft gemaakt. Want zonder grammatica verkommert het onderwijs. Ze vormt het fundament van lezen en schrijven en is door de eenvoud van haar beginselen bij uitstek geschikt voor de basisschool. Grammatica is een formidabel hulpmiddel om te leren helder te formuleren in de moedertaal, om andere talen te verwerven en om Nederlands te leren aan leerlingen met een andere moedertaal.

Een grammatica omvat de ordeningen en wetten die in een taal werkzaam zijn. Dat zijn er heel veel. Dag in dag uit nemen we de regels van onze moedertaal in acht, zonder er bij stil te staan. Dat beseffen we niet en we weten niet wát we precies in acht nemen. Door er wél bij stil te staan kunnen we de regels opsporen. Gelukkig zijn honderden ervan al eeuwen bekend. Het gaat er maar om, ze door te vertellen.

Zo moeten ook de regels van de rekenkunde worden doorgegeven. Ook die hebben we cadeau gekregen van onze voorouders. Ga je je in al dat doorgegevene verdiepen, dan kom je voor verrassingen te staan. Het vertrouwde stelsel blijkt raadselachtige eigenschappen te hebben. Om daar iets van te begrijpen, of zelfs alleen al om het als raadselachtig te onderkennen, de onvoorspelbaarheid van de priemgetallen bijvoorbeeld, moet je de beginseltechnieken van het stelsel kunnen toepassen. Je moet kunnen *delen* om te weten wat een priemgetal is. Dat lukt. Al op de basisschool. Net zo is het gesteld met de taal. Ook daarin heerst een stelsel dat een kind kan leren hanteren: het stelsel van de woordsoorten en de zinsdelen. De *grammatica.* Woordbenoeming en zinsontleding zijn de elementaire grammaticale vaardigheden, noodzakelijk voor alle taalstudie. Ze moeten natuurlijk wel in de juiste volgorde onderwezen worden. Om een kind te leren rekenen begin je ook niet bij de logaritmen.

Nog even en grammaticale kennis is een privilege van enkelingen in een samenleving van ongeletterden. Dat moeten we zien te voorkomen. Het is hoog tijd voor bij-, her- en nascholing.

En dan, grammatica is prachtig.

Deel I
De woordsoorten

Het indelen in klassen

Het bestaan wemelt van de *klassen*, groepen waarin mensen, dieren en dingen worden ingedeeld. We onderscheiden: muziekinstrumenten, geneesmiddelen, planeten, insecten, zuigelingen, vruchten en wat niet al. Van elk van die klassen hebben we onmiddellijk een voorbeeld bij de hand: een viool, een antibioticum, Mars, een kever, ons eergisteren geboren neefje, een appel. Dat is makkelijk. Haast even makkelijk is het, een moeilijk voorbeeld te bedenken, waarvan je je afvraagt: hóórt het tot die klasse ja of nee? Is het fluitje van de scheidsrechter een muziekinstrument? Is de anticonceptiepil een geneesmiddel? Is een hazelnoot een vrucht? Op basis waarvan classificeren we eigenlijk? Een walvis is geen vis, zeggen de dierkundigen, maar een zoogdier. En een spin is geen insect, maar een spin.

Zodra deskundigen zich over die indelingen buigen doen zich problemen voor, maar ook als je je er zelf over buigt.

Zonder classificatie is wetenschap uitgesloten. Aan de basis staan uiteraard niet de problemen, maar de evidente gevallen. Als we ons daartoe beperken is 'klasse' een eenvoudig en handzaam begrip. In de wetenschap maakt men onderscheid tussen *natuurlijke* en *kunstmatige* klassen. Dit onderscheid is van toepassing op natuurverschijnselen als planten, dieren, sterren en mineralen, maar ook op getallen, meetkundige figuren en taaltekens.

Als je al wat leeft en groeit ordent volgens het criterium 'met iets geels in het uiterlijk' krijg je boterbloemen, kanariepieten, citroenen en wespen in één klasse. Die is kunstmatig. De *vogels* daarentegen vormen een natuurlijke klasse. De vissen ook. Dat weet iedereen. Daar doet zelfs de walvis niets aan af. De natuurlijke klasse, daar gaat het om. De leden ervan hebben iets gemeenschappelijk, iets dat de doorslag geeft: in hun vorm en in hun gedrag.

Natuurlijke klassen doen zich ook voor in de natuurlijke taal. Woorden zijn net levende wezens: hun vorm en gedrag voldoen aan naspeurbare wetten en bepalen de klasse waarin een woord thuishoort.

In beginsel zijn de ons overgeleverde woordklassen even natuurlijk als de klassen van gewervelde dieren, reptielen, metalen, oneven getallen en gelijkzijdige driehoeken. Wel zijn in de taal de grensgevallen en de uitzonderingen, de spinnen en de walvissen zal ik maar zeggen, talrijker dan in het dierenrijk, en in het dierenrijk weer talrijker dan in de wiskunde. De wiskunde kent geen uitzonderingen of grensgevallen, althans niet in de fase van de schoolwiskunde.

In dat opzicht heeft de moedertaalleraar het moeilijker dan de biologieleraar en de wiskundeleraar heeft het het gemakkelijkst. Alles wat hij vertelt is waar. Zijn mededelingen kunnen niet door de eerste de beste leerling worden ontzenuwd. Twee maal twee is vier. Natuurlijk is er ook een verschil tussen vier en twee maal twee, namelijk een verschil in groepering, zoals tussen .... en .. .., maar dat verschil moet in de rekenkunde nu juist genegeerd worden. Er valt niet te protesteren tegen rekenkundige waarheden. En niet één leerling komt aanzetten met een rechthoekige driehoek waarvoor de stelling van Pythagoras niet geldt.

De biologieleraar echter kan geplaagd worden door een leerling die claimt dat zijn guppy's (kleine visjes) zoogdieren zijn omdat ze levende jongen ter wereld brengen. Dat dóen guppy's. De leraar moet dan het nodige uitleggen om zijn zoogdierklasse overeind te houden. En de visklasse.

Maar nu de taalleraar. Die heeft bijvoorbeeld zojuist de telwoorden behandeld: 'een', 'twee', 'veertien', 'honderd', enzovoorts. 'Oké', zegt Wiesje, 'dus 'dozijn' is een telwoord.' De leraar moet nu Wiesje ervan overtuigen dat 'dozijn' geen telwoord is, maar een zelfstandig naamwoord.

Een belangrijk verschil met de biologieles is dat Wiesje zich niet hoeft te beroepen op een waarneming buiten het schoollokaal. Een aquarium heeft niet iedereen ter beschikking, maar de moedertaal hebben we ter plekke paraat. In het hoofd, bij wijze van spreken. De moedertaalgrammatica registreert onder meer de wetten waaraan de woordklassen voldoen. In de praktijk passen we die wetten – als kind al – toe. Daardoor is de moedertaalkunde in hoge mate een wetenschap van het *Aha-Erlebnis*. Je neemt haar vaststellingen niet voor kennisgeving aan, maar je kunt ze beamen. Of tegenspreken. Je kunt ze onmiddellijk en ter plaatse toetsen, in tegenstelling tot mededelingen over de geboorte van guppy's, de lichaamstemperatuur van walvissen of de begroeiing van de Himalaya.

Geen mens twijfelt aan de natuurlijkheid van de klassen van vissen, zoogdieren en driehoeken en ook niet aan die van de gangbare woordklassen. En slechts wie vertrouwd is met de evidente gevallen krijgt oog voor grensgevallen en uitzonderingen.

Dat onze taal zo dicht bij ons is, haast deel van onszelf, heeft velerlei consequenties voor de taalkunde. We zijn al gauw geneigd een opgespoorde regelmatigheid algemeen geldig te verklaren. Maar doordat onze taal zo binnen handbereik ligt is de kans groot dat we er een uitzondering uit te voorschijn halen. Er zijn mensen die voor elke grammaticaregel op zoek gaan naar een uitzondering. En vaak met succes. Gelukkig zijn uitzonderingen niet alleen een probleem voor de taalkundigen. Ook de biologen worstelen ermee. We wenden ons nogmaals tot de walvis.

Dit reusachtige dier leeft in het water, sterft onherroepelijk op het droge en is gestroomlijnd van vorm. Kortom: een vis. Zou je denken. Nadere observatie van de walvis leert ons dat hij, zij bedoel ik, levende jongen ter wereld brengt, deze zoogt, warmbloedig is en door longen ademt. Hierin komt de walvis overeen met marmotten, olifanten, mensen. Allemaal wezens die leven op het droge en onder water onmiddellijk doodgaan. Zij behoren tot de klasse der zoogdieren.

De bioloog kan nu twee dingen doen: de walvissen tot de vissen blijven rekenen omdat het water, hun element, hem doorslaggevend voorkomt, evenals hun uitwendige vorm. Lichaamstemperatuur, geboortewijze en de aanwezigheid van longen maken de walvis dan tot een uitzonderlijke vis. Of de bioloog zegt: 'Ik reken de walvis tot de zoogdieren, omdat ik de geboortewijze en natuurlijk het *zogen*, doorslaggevend vind.' Het water, zijn element, maakt de walvis dan tot een uitzonderlijk zoogdier. Het laatste is gebeurd. Hoe dan ook, in beide gevallen vormt de walvis een uitzondering. De Nederlandse complicatie dat het dier 'wal*vis*' heet (geen toeval uiteraard) doet zich in het Engels ('whale') en Frans ('baleine') niet voor. Het verantwoorden van de voorkeur voor 'zoogdier' is niet simpel. Waarom moet de warmbloedigheid zwaarder wegen dan het element waarin het dier leeft en waarbuiten het ten dode is opgeschreven? Dit is voer voor wetenschapstheoretici. Maar ook de meest verstokte theoreticus erkent het bestaan van vissen. En van zoogdieren. Dat is wel simpel. Zo wordt ook het bestaan van zelfstandige naamwoorden en andere woordklassen niet in twijfel getrokken. Evenmin als het feit dat woorden observeerbaar zijn naar vorm en gedrag.

Wat is een woord? Tja, dat is geen eenvoudige vraag. Dat weten we en dat weten we niet. Zo is het maar al te vaak. Weet u wat lopen is? Maar natuurlijk, dat weten we allemaal. Toch heb ik een neuroloog horen juichen: 'Nu weet ik eindelijk wat lópen is!' Na jaren van onderzoek. Zo is er ook een schitterende verhandeling van 460 bladzijden waarin wordt uiteengezet wat een woord is. En dan hebben we het nog niet eens over het woord in de zin van 'Hij kreeg het woord.' of 'In den beginne was het woord.', maar gewoon over het woord als strikt taalkundige eenheid. Over datgene wat we bij het schrijven laten voorafgaan en volgen door een *spatie*. We houden het overzichtelijk en laten ons niet van de wijs brengen door twijfelgevallen. We stellen ons tevreden met die spatiedefinitie. Verder verlaten we ons op het woordenboek.

In het woordenboek vinden we de woorden van onze taal opgeslagen. Het is een *eindige verzameling*. We beseffen heus wel dat die woordenschat steeds wordt uitgebreid (en dat er soms ook woorden uit verdwijnen). Verzamelingen kunnen deelverzamelingen en deelverzamelingen van deelverzamelingen omvatten en zo kunnen klassen subklassen omvatten en subsubklassen enzovoorts. We ordenen wat af.

De woordklassen vormen een substantieel deel van de grammatica, maar we komen ze ook tegen in het woordenboek. Achter ieder opgenomen woord staat de klasse vermeld waartoe het behoort: 'lidwoord', 'voorzetsel', 'zelfstandig naamwoord', 'werkwoord', enzovoorts. Die vermelding dient als een karakterisering van het betreffende woord, als een verhelderende aanduiding. Wie het woordenboek raadpleegt wordt geacht de woordsoorten te kennen!

Met het woordenboek in de hand kunnen we vaststellen dat de meeste woordklassen weinig leden hebben en dat er drie zijn met bijzonder veel leden: die van zelfstandig naamwoord, werkwoord en bijvoeglijk naamwoord. Deze klassen zijn *open*. Er komen voortdurend nieuwe leden bij: 'klantvriendelijk', 'terminaal', 'latrelatie', 'aanschuifonderwijs', 'dotteren', je kunt ze op de plek bedenken.

De kleine klassen echter zijn *gesloten*. Daar kunnen we niet zomaar nieuwe leden aan toevoegen. Neem de voorzetsels: 'in', 'uit', 'voor', 'achter' ... We kunnen ze wel aanvullen, maar geen nieuwe bedenken. Wel duikt er soms een nieuw voorzetsel op, afkomstig bijvoorbeeld uit het Latijn, zoals 'qua' ('*Qua* vorm wijkt dit werk sterk af...') of van een zelfstandig naamwoord dat tendeert naar voorzetselschap, zoals 'richting' ('Hij rijdt *richting* Alkmaar.'). Maar daar blijft het bij. De open klassen zijn groot, de geslotene klein.

De functie van voorbeelden

Het onderscheiden van woordklassen leert men het eenvoudigst aan de hand van voorbeelden. Als ik voorbeelden geef van zelfstandige naamwoorden doe ik een beroep op wat we *in praktische zin* al weten. Daardoor kunt u ze zonder moeite aanvullen.

man	broeikaseffect
vrouw	ozonlaag
kind	meisje
huis	spook
boom	vergissing
scharrelvarken	. . .

Al deze woorden zijn benamingen van, globaal gezegd, mensen, dieren en dingen. Nog globaler gezegd: van dingen. Veel dingen hebben hun eigen onvervreemdbare naam: roos, kind, sigaret, wolk. Sommige dingen hebben dat niet. De zilverwitte streep, getrokken door een straalvliegtuig hoog in de blauwe lucht, heeft geen eigen naam. Dat verschijnsel moeten we omschrijven, zoals we zojuist deden. Of we moeten er een nieuwe naam voor bedenken, bijvoorbeeld het fysisch verantwoorde 'condens-spoor' of, romantischer, 'hemelstreep'.

Zoals gezegd, de klasse van zelfstandige naamwoorden is open. Ze wordt voortdurend aangevuld. Dat komt niet alleen doordat er aldoor nieuwe dingen bijkomen in het leven, maar ook doordat we met behulp van bestaande woorden nieuwe woorden kunnen maken, zoals 'scharrelvarken'. Ook incidenteel gebeurt dat vaak. 'Je weet wel, mijn voetbalneef', zei de tante van de voetbalinternational. 'Voetbalneef' zal het woordenboek wel niet bereiken. Toch is het een Nederlands woord, geheel doorzichtig. Een woord kan dus *geleed* zijn, en een *ongeleed* zelfstandig woord kan het onzelfstandige deel worden van een groter woord: 'neef' van 'voetbalneef', 'voet' en 'bal' van 'voetbal'. Een *geleed* zelfstandig woord kan dus óók het onzelfstandige deel worden van een groter woord: 'voetbal' van 'voetbalneef'.

Voor de andere twee open klassen, die van de werkwoorden en de bijvoeglijke naamwoorden, geldt hetzelfde.

Voorbeelden van werkwoorden zijn:

lopen	horen
zingen	zien
wachten	lachen
bloeien	staan
luisteren	

Het zijn de benamingen van, globaal gezegd, een handeling, een gebeuren, dat aan een ding (inclusief mens en dier) valt waar te nemen.

Doordat er achtervoegsels zijn die van een woord een werkwoord maken, worden ook de werkwoorden gemakkelijk aangevuld:

automatiseren	internationaliseren
centraliseren	globaliseren

Ook voorvoegsels kunnen op die manier productief zijn:

onthaasten

Voorbeelden van bijvoeglijke naamwoorden zijn:

groot	smal
klein	groen
lang	leuk
kort	blauw
breed	

Allemaal, globaal gezegd, eigenschappen van dingen. Er is een speciaal ach-tervoegsel dat van zelfstandige naamwoorden een bijvoeglijk naamwoord kan maken, '-achtig'. Daarmee kunnen we ad libitum bijvoeglijke naamwoorden vormen die wel nooit het woordenboek zullen halen:

> doosachtig (Top Naeff)
> grindachtig
> ledikantachtig (F. ten Harmsen van der Beek)

Een open woordklasse is tevens wat men in de taalkunde noemt een *produc-tieve woordklasse*. De moedertaalspreker is in staat de klasse met nieuwe producten uit te breiden. De open woordklassen zijn ver in de minderheid, maar hebben verreweg de meeste leden.

De productiefste van de drie open klassen is de klasse van de zelfstandige naamwoorden.

Een afzonderlijke vierde soort van open klasse is die van de telwoorden, de namen van de getallen en ook van vage aantallen. Deze klasse moet wel open zijn, omdat het aantal natuurlijke getallen oneindig is. Voorwaarde is echter wel dat men de Nederlandse naam van ieder getal, hoe groot en geleed ook, aanmerkt als één woord, zoals:

> vijfmiljoenachthonderdzevenenveertigduizenddriehonderdzesen-dertig

De telwoordklasse vertoont bijzondere problemen waarop we in Hoofdstuk 17 zullen terugkomen.

De kleine woordjes

De kleine woordjes waar het nu om gaat vormen tezamen de gesloten klassen.

Op een enkele uitzondering na (zoals 'niettegenstaande') zijn ze allemaal klein, de meeste niet groter dan één lettergreep.

maar	te
of	ik
en	jij
in	de
uit	het
dus	…

Het aantal kleine woordjes is beperkt en staat in geen verhouding tot het grote aantal in de open klassen. Ook daarin komen wel kleine, korte woordjes voor, zoals 'po' , 'la' , maar naar verhouding slechts sporadisch.

Het bijzondere van 'de kleine woordjes' is dat ze, als ieder woord, een betekenis hebben, maar dat die betekenis de taalkundigen grotere zorgen baart dan die van de andere woorden. Aan die kleine woordjes worden dan ook veel studies gewijd, proefschriften zelfs. Sommige woordjes zijn om gek van te worden, zoals 'er'. Met het gebruik van 'er' hebben we absoluut geen moeite, maar wat 'er' precies betekent kunnen we niet goed uitleggen.

> *Er* was eens een koning.

De meest grijpbare betekenis in deze zin is die van 'koning'. Maar wat betekent 'er'? Het lijkt wel deel van een vaste formule 'Er was eens...', die een sprookje inleidt. Maar een sprookje is voor dit 'er' niet een voorwaarde.

Er stond een meisje bij de bushalte.

Een heel ander soort 'er' treffen we aan in

We hebben *er* vier.

Dit is een doodgewone zin, maar wat betekent 'er' hier?

Dat vergt een heel verhaal. Het betekent dat er een situatie is waarin de gespreksgenoten al weten over wat voor soort exemplaren het gaat waar 'we' er vier van hebben. Jonge poesjes bijvoorbeeld. Het merkwaardige is dat 'er' op deze manier alleen maar dienst kan doen als er sprake is van aantallen, precieze of vage.

Onze buren hebben *er acht.*

Keukenkastjes namelijk.

Mijn vader heeft *er* nog wel *een paar.*

Statenbijbels. Vader is dominee.

De betekenisproblematiek van de kleine woordjes wordt in dit hoofdstuk alleen gesignaleerd. Niet opgelost. Hierna volgen nog wat andere voorbeelden.

Het regent, *dus* de straten worden nat.

Wat betekent 'dus'? Dat woord bevat de notie 'gevolg'. Maar hòe ligt de verhouding oorzaak – gevolg precies?

De straten worden nat, *dus* het regent.

In het eerste geval is het nat worden van de straten het gevolg van de regen. Dat is duidelijk. Maar we nemen niet aan dat in het tweede geval het regenen het gevolg is van het nat worden van de straten. Nee, niet de regen zelf, maar de *constatering van het feit dat het regent* is het gevolg van het nat worden van de straten. De menselijke conclusie dat het regent is het gevolg dat door 'dus' aangekondigd wordt.

Iets soortgelijks is er gaande met het redengevend verband dat in het voegwoord 'want' is aangeduid.

Jan was niet op school, *want* hij is ziek.
Jan is ziek, *want* hij was niet op school.

In de tweede zin is de afwezigheid van Jan op school de reden van *de conclusie dat* hij ziek is. Niet van het ziek zijn zelf.

Omdat de betekenis van de kleine woordjes zo lastig te achterhalen en zo gecompliceerd is nemen zij veel ruimte in in het woordenboek. Hele kolommen soms, zoals 'van' in het WNT (*Woordenboek der Nederlandsche Taal*). De betekenis van een zelfstandig naamwoord dient zich helderder aan dan die van een voorzetsel.

De kleine woordjes zijn een ware kwelling voor wie Nederlands als vreemde taal doceert, én uiteraard voor zijn leerling.

Ook 'kleine woordjes' waarvan de betekenis op het eerste gezicht helder en eenvoudig is hebben soms iets ondoorgrondelijks. Bijvoorbeeld 'ik'. In de moedertaalverwerving komt 'ik' meestal pas in het derde levensjaar te voorschijn, wat een indicatie is voor de ingewikkelde gelaagdheid van de betekenis ervan. De nieuwe wereldburger noemt zichzelf een poos lang bij de naam alvorens 'ik' te zeggen. En wat betekent 'zelf'? De uitvoerige verhandelingen in filosofie en psychiatrie over het Ik en het Zelf zijn niets anders dan speurtochten naar de betekenis van deze woorden, die we dagelijks achteloos uitspreken. Het komt voor dat een 'klein woordje' met zichzelf in tegenspraak geraakt.

Dat P. de moord begaan heeft is *zeker*.
Jij hebt *zeker* nog nooit een kangoeroe gezien!
Ik heb hier een *zekere* Han Bols aan de telefoon.
Hij is *zeker* in slaap gevallen.
Daar ben je toch *zeker zeker* van?

Een in de symbolische logica roemrucht 'klein woordje' is 'of'.

Wilt u een glas port *of* sherry?

Dit is een vraag die we soms, zonder onbeleefd te zijn, met 'Ja graag!' kunnen beantwoorden. Pas daarna volgt dan onze specificatie: 'Sherry!' Of 'Port!' natuurlijk. Pas in tweede instantie valt de nadruk op het keuze-element. 'Of' betekent in ieder geval dat er van een keuzemogelijkheid sprake is, dat er twee mogelijkheden worden genoemd, één links en één rechts van 'of' (in de schriftelijke notatie; mondeling: één vóór en één na 'of').

We gaan met vakantie *of* we vernieuwen de keuken.

Dit is een adequate zin als geld en tijd beperkt zijn. Naast het aspect 'keuze' behoort tot de betekenis van 'of' dat uiteindelijk de twee alternatieven elkaar uitsluiten, zodat er maar één het geval ('waar') zal blijken te zijn. Ook houdt 'of' in dat er *een verband* bestaat tussen die twee mogelijkheden, dat aan de wederzijdse uitsluiting ten grondslag ligt. Zoals in het genoemde keuken-geval: het gezinsbudget. 'Of' vertelt ons niet wat dat verband is, maar wel dat het er is, in context of situatie gegeven.

Maria heeft die foto gemaakt *of* Ank is er met de huisarts vandoor.

Deze zin daagt ons uit naar zo'n verband te zoeken, en dat komt door 'of'. Het vinden, of liever verzinnen van dat verband is hier niet eenvoudig. Probeert u het maar!

In de formele logica heeft men de betekenis van 'of' gekortwiekt. Daar heeft men alleen oog voor het feit dat van de twee uitspraken vóór en na 'of' er slechts één waar kan zijn, en niet voor het betekenisaspect dat het om twee elkaar uitsluitende keuzemogelijkheden gaat die nauw met elkaar verband houden. Logici noemen daarom

Twee maal twee is vijf of New York is een grote stad.

in zijn geheel een *ware volzin*. Hun afspraak is namelijk om een volzin met 'of' in het midden alleen waar te noemen als één van de twee ter zijde van 'of' geuite beweringen onwaar is en de andere waar. Maar voor de onbevangen moedertaalspreker komt de genoemde volzin niet eens in aanmerking voor de kwalificatie 'waar' of 'onwaar', juist omdat de eerste helft zo evident onwaar en de tweede zo evident waar is. Het door 'of' geïmpliceerde verband is té ver te zoeken. Het geheel is oninterpreteerbaar geworden. Zo zien we hoezeer de formele logica van de taalkunde verschilt. De logica is eropuit om subtiele, onzekere en tegenstrijdige betekeniselementen van 'de kleine woordjes' te elimineren; de taalkunde om ze op te sporen en als onderdeel van de betekenis te beschrijven.

Voor de taalkunde zijn formeel-logische analyses onbruikbaar, verwarrend en vervreemdend.

Een afzonderlijke groep 'kleine woordjes' zijn die welke een speciale functie in veronderstellende en vragende zinnen kunnen vervullen. Ze geven aanleiding tot zogenaamd leuke reacties.

> U gaat zeker feestvieren vanavond?
> Ja, ik ga zeker feestvieren vanavond.

Bekende gevallen zijn:

> Weet u soms hoe laat het is?
> Ja, soms wel.

> U bent toch pater Willemsen?
> Ja, ik ben toch pater Willemsen.

Bepaald bizar gedraagt zich het woord 'niet'

> Bent u niet de vader van André?
> Ja, ik ben niet de vader van André.

In zo'n vraag drukt 'niet' geen ontkenning uit, maar lichte twijfel van de vragensteller.

In mededelende zinnen betekent 'niet' dat het in zijn omgeving geformuleerde onwaar is. De zin roept een beeld op en 'niet' zet daar een streep door. Het beeld wordt ver'niet'igd.

Het wordt steeds duidelijker waarom 'de kleine woordjes', hoewel zeer beperkt in aantal, per woord in het woordenboek veel meer plaats innemen dan de meeste open-klassewoorden. De betekenis van de kleine woordjes is vol impliciete en soms paradoxale facetten, die met behulp van uitgebreide voorbeeldzinnen verhelderd kunnen worden. Voor de open-klassenwoorden volstaan meestal synoniemen en korte omschrijvingen.

Al met al zijn de kleine woordjes verrassend informatief:

Ik leg my toe op het schryven van levend Hollandsch, *maar* ik heb schoolge-gaan.

(Multatuli)

Grote woorden

Met 'grote woorden' heb ik het oog op extreem gelede woorden in de open woordklassen, in het bijzonder de zelfstandige naamwoorden. Zoals eerder opgemerkt zijn de zelfstandige naamwoorden dikwijls geleed. Bestaat zo'n geleed woord uit delen die zelf lid van een open klasse zijn, dan spreekt men in de grammatica van een *samenstelling*.

scharrelkip   jeugdfoto

Deze twee voorbeelden vinden we terug in het woordenboek. Ze hebben een specifieke betekenis gekregen, die niet zonder meer uit de delen is af te lezen. Een scharrelkip loopt vrij rond en is de gelukkige tegenhanger van de stakker in de legbatterij. Een jeugdfoto is niet een foto waarop een groep kinderen staat afgebeeld, maar een portret van bijvoorbeeld een twintigjarige die inmiddels de vijftig is gepasseerd. Soms is de betekenis in de loop der eeuwen zo gewijzigd dat we het woord niet of nauwelijks als een samenstelling ervaren, zoals:

slachtoffer   middenstand

Maar ook veel samenstellingen waarvan de betekenis wel geheel herkenbaar is aan de delen zijn opgenomen in het woordenboek. Zoals:

boekenkast   soepkom

Zulke woorden vormen een vaste combinatie, één vertrouwd geheel.

Maar de grote woorden waar het nu om gaat zijn die samenstellingen die zeer meerledig zijn en niet in het woordenboek staan. De nieuw gecreëerde ad hoc woorden, waarvan de lengte in principe onbeperkt is. We kunnen ze naar believen bedenken en verlengen.

antilegbatterijkippengenootschap
antilegbatterijkippengenootschapsblad
antilegbatterijkippengenootschapsbladartikelen
antilegbatterijkippengenootschapsbladartikelenschrijver

Hun grootte is onbegrensd. In principe. Niet in de praktijk, onder andere omdat ál te lange woorden niet meer te begrijpen zijn. Het principe blijft echter dat we onbeperkt lange en onbeperkt veel woorden kunnen maken.

De samenstellende delen kunnen we eindeloos herhalen.

achterachterachternicht
achterachterachterachterachterachternicht
...

Maar het grondmateriaal voor de nieuwe woorden is beperkt. Dat materiaal bestaat uit de ongelede woordvormen, zoals:

soep   huis
kom   dorst
zwaluw   water
honger

In deze woorden kunnen we geen stukje afzonderen dat betekenis draagt. Dat kunnen we wel in

waterdruppel   wijnglas
wereldbol

De gelede woorden kunnen aanzienlijke afmetingen aannemen. Niet alleen van de 'achterachterachterachternicht'-soort, maar ook deze:

Daar heb je weer die mevrouw met het *mij-kan-niets-gebeuren-gezicht!*
De ambtenaar maakte zo'n *u-mag-bij-die-rij-aansluiten-gebaar.*

In deze voorbeelden fungeert een hele zin als woorddeel.

Dat het aantal woorden in principe oneindig is blijkt vooral uit de grote woorden. Echt mooi zijn ze niet.

HOOFDSTUK 5

De woordvoorraad

Leonard Bloomfield, beroemd Amerikaans taalkundige, definieerde in 1933 een taal als een voorraad ongelede woorden waarmee we zinnen kunnen maken volgens welbepaalde regels. Dat leek een realistische definitie. Maar Bloomfield worstelde met het probleem van de *morfemen*. De onzelfstandige woorddelen. Zoals: '-loos' ('geurloos'), 'on-' ('onvrij') en '-je' ('petje'). Ook daarover beschikken we. En ook die zijn ongeleed en gegeven. Maar het zijn geen woorden. Bloomfield koos daarom *alle* ongelede taalvormen, ook de voor- en achtervoegsels, *suffixen* genaamd, als uitgangspunt voor zijn definitie van taal. Hij ging uit van de bouwstenen. Die bouwstenen tezamen noemde hij 'the stock of morphemes', *de voorraad morfemen*. Dat was verwarrend, want 'morfeem' en 'morpheme' zijn juist gereserveerd als aanduiding van de suffixen. Dat is tot de huidige dag zo gebleven. Bloomfield echter verstond onder 'morphemes' zowel 'bound forms', suffixen, als 'free forms', ongelede zelfstandige woorden, zowel 'bak', 'vrij' en 'groen' als '-sel', 'on-' en '-achtig'.

Anton Reichling, ongeëvenaard scherpzinnige Nederlandse taalkundige, vond dat een onoverkomelijk bezwaar. Hij zei: 'Bloomfield maakt geen verschil tussen haringen en haringkoppen.'

De vergelijking noodt tot uitwerking.

De woorden zijn de haringen en de suffixen de haringkoppen. Een haringkop zonder haring komt niet voor, tenzij dood. Een suffix zonder woord komt niet voor, tenzij in de linguïstiek. Het gaat wat te ver om te veronderstellen dat in de linguïstiek de woorden worden gedood, maar ze worden er wel in een kunstmatige positie gebracht: geïsoleerd, zoals in een woordenboek, of in stukjes gehakt, zoals in een woordvormleer, die de suffixen scheidt van het hoofddeel van het woord. In 'levende' of in elk geval natuurlijke staat is een suffix onlosmakelijk deel van het woord. Bloomfields 'stock of morphemes' lijkt nog het meest op wat we aantreffen aan de haringkar: de nog niet schoongemaakte hele haringen en de verwijderde koppen van de al wel schoongemaakte. Dood zijn ze allemaal. En in leven is de kop onlosmakelijk deel van de haring.

Reichling noch Bloomfield bekommerde zich erom dat twee woorden samen een nieuw woord kunnen vormen, maar twee haringen niet een nieuwe haring. Reichlings meesterwerk *Het woord* gaat over het levende woord. Dat verklaart zijn protest. De 'stock of morphemes', de haringkar zogezegd, leert ons niets over het gedrag van de levende exemplaren. Aan een definitie van taal, zoals Bloomfield nastreefde, heeft Reichling zich nooit gewaagd. Het domein van de taal is toegankelijk en open. Ook zonder een afgrenzing vooraf wordt in de taalkunde resultaat geboekt.

Sleutelwoorden

De 'kleine woordjes' bezitten in de grammatica de status van sleutelwoorden. Ze vormen een sleutel tot de grammaticale structuur van de zinnen waarin ze functioneren. Hun betekenis is doorslaggevend en onopvallend. Het kost vaak moeite de betekenis aan het licht te brengen, zoals we zagen bij 'dus' en 'want' (p. 20, 21). Zelfs nederiger woordjes blijken onverwacht rijk aan informatie, zoals 'dat' in

Vera weet dat haar vader nog leeft.

Ogenschijnlijk is 'dat' hier een neutraal verbindingswoord; het verbindt het feit dat Vera's vader nog leeft met het feit dat zij dat weet. Maar kijk wat er gebeurt als we 'dat' vervangen door 'of':

Vera weet of haar vader nog leeft.

De relatie tussen de twee feiten ligt nu anders. Vera weet nu iets dat wij niet weten, namelijk of haar vader nog leeft. Als er staat 'dat hij nog leeft' is dat ook voor ons, lezers, een feit. Staat er 'of hij nog leeft' dan is het voor ons een vraag. Voor Vera een weet.

Vera weet niet dat haar vader nog leeft.

Hier is de situatie omgekeerd: haar vader leeft nog. Voor ons een weet. Voor Vera een vraag.

Vera weet niet of haar vader nog leeft.

Hier zijn Vera en wij even onwetend.

Al deze belangrijke nuances zijn vervat in zoiets kleins als 'dat' en 'of'. Wij Nederlandse moedertaalsprekers gaan er gedachteloos goed mee om. Maar degenen die onze taal nog moeten leren hebben juist díe woordjes nog niet ter beschikking. Zij beperken zich noodgedwongen tot woorden uit de open klassen:

Vader leven. Vera weten.

Het verband tussen de twee feiten is ook zo wel duidelijk. Alleen is hier nergens een taalvorm aan te wijzen die dat verband, laat staan de precieze aard ervan, uitdrukt.

Niet alleen zijn we als moedertaalsprekers vertrouwd met de sleutelwoorden, maar bovendien zijn er geen sleutelwoorden die we niet kennen.

Ze behoren zonder uitzondering tot onze *woordenschat*. Een zelfstandig naamwoord kan daaraan nog wel eens ontbreken, ook als het in het woordenboek staat. Maar de sleutelwoorden kent ieder op z'n duimpje.

De 'kleine woordjes' zijn, samengevat, sleutelwoorden om drie redenen:

1. Ze bevatten essentiële maar nauwelijks opgemerkte informatie;
2. ze behoren tot de woordenschat van de moedertaalsprekers;
3. ze markeren de grammaticale structuur van de zinnen waarin ze voorkomen.

Het laatstgenoemde kenmerk van de sleutelwoorden hangt nauw samen met het karakter van *nonsenszinnen*.

De autonomie en de welsprekendheid van de grammaticale structuur laten zich bij uitstek aflezen aan *nonsenszinnen*. Een in de Nederlandse taalkunde klassieke nonsenszin luidt:

De vek blakt de mukken.

Reichling wees erop dat we, ook al weten we niet wat hier staat, ook een heleboel wél weten. Bijvoorbeeld, aldus Reichling, 'dat de mukken door de vek geblakt worden.' Voorts hebben we, zegt hij, nóg een zekerheid: 'Ten minste één blakker of blakster van mukken is een vek.' De oorzaak van deze bevinding ligt voor een groot deel in kleine brokjes en zelfs brokstukjes van de nonsenszin, die hieronder gecursiveerd zijn weergegeven:

De vek blak*t de* muk*ken.*

In '-(k)en' zien we een meervoudsachtervoegsel: 'één muk, twee (of meer) mukken'. De 't' van 'blakt' voert ons naar het werkwoord 'blakken'. We weten wel niet wat dat werkwoord betekent, maar wel dàt het een werkwoord is. En de daarin uitgedrukte handeling wordt verricht door een vek. Wat een vek is weten we ook niet, maar we ontkomen niet aan het idee dat de vek iets doet met de mukken.

Hoe dan ook, dat 'vek' naar een ding (iets of iemand) verwijst en 'mukken' naar meer dingen, is heel aannemelijk. In beide gevallen komt dat doordat er 'de' voor staat. Het zijn inderdaad de kleine brokjes ('de') en brokstukjes ('-t') en ('-(k)en'), die een sleutelrol vervullen in de zo sterke suggestie dat 'De vek blakt de mukken.' een Nederlandse zin is. Het is een duistere mededeling, maar tot op zekere hoogte begrijpelijk. Gemarkeerd en gestructureerd door de kleine woordjes en de suffixen.

De 'kleine woordjes' vormen tezamen met de suffixen (Bloomfields 'bound forms') de sleutelvormen die ons een grammaticale structuur doen herkennen in een nonsenszin.

Nonsenswoorden

Het kan niemand zijn ontgaan: nonsenswoorden kunnen we zelf maken en ze behoren tot de open klassen. Ze gedragen zich zelfs bijna helemaal als echte woorden. Natuurlijk hebben taalkundigen opgemerkt dat je nooit zeker weet of 'De vek blakt de mukken.' werkelijk betekent dat 'de mukken door de vek geblakt worden'. 'Mukken' hoeft niet per se meervoud te zijn, zo redeneren zij, je hebt immers ook 'baken', 'haven' en 'deken' en die zijn ook geen meervoud. En de '-t' van 'blakt' hoeft niet op een werkwoord te duiden, dat doet zij ook niet in 'tact', 'pact' en 'naakt' (in de betekenis van 'bloot' dan). Dat is allemaal waar, maar doet niet ter zake. Wat ertoe doet is dat we ons laten meeslepen door de door Reichling uiteengezette suggestie dat we hier met een gekke maar Nederlandse zin te maken hebben. De sleutelwoorden en de morfemen zijn daartoe wel noodzakelijke, maar niet de enige middelen. Ook de woordvolgorde is doorslaggevend. 'Mukken blakt vek de de.' mist de grammaticale structuur ten enenmale.

Dat de nonsenswoorden tot de open klassen behoren is logisch. Niet omdat de gesloten klassen nu eenmaal gesloten zijn, maar ook omdat we er rekening mee houden dat we van de open klassen niet alle woorden kennen. Zelfgemaakte nonsenswoorden moeten een aannemelijke vorm hebben. Ze zijn betekenisloos, maar niet helemáál. Want, geplaatst in een zin, heeft een woord naast zijn eigen afzonderlijke betekenis het betekenisaspect van de klasse waar het toe behoort. Is dat de werkwoordsklasse, dan bevat de betekenis een doe- of gebeur-element, zoals 'pakt', maar ook 'blakt' . De nonsenswoorden, mits op ordentelijke wijze voorzien van kleine woordjes en suffixen, maken ons attent op de woordklassebetekenis. Ze zijn een soort laboratoriumproduct. Hun afzonderlijke betekenis, de *lexicale betekenis*, die beschreven staat in het woordenboek, het *lexicon*, is hun op kunstmatige wijze onthouden. Niette-min hebben de nonsenswoorden een aandeel in de grammaticale structuur van de nonsenszin. Die structuur is allereerst een *informatiestructuur*. Wij worden erdoor geïnformeerd over de verhoudingen tussen de weergegeven dingen, hun toestanden, hun eigenschappen, handelingen, hun plaats in ruimte en tijd, enzovoorts.

Voor die informatiestructuur en de grammaticaliteit zijn de 'kleine woordjes' en de suffixen onmisbaar. Zij kunnen niet door nonsensvormen worden vervangen.

Om dat te laten zien wenden we ons tot een gewone zin van de soort waarop de roemruchte nonsenszin is gebaseerd.

De arts kookt de slakken.

Wat Reichling zegt is hier van toepassing: de slakken worden door de arts gekookt en ten minste één koker of kookster van slakken is een arts. Het is nog niet eens eenvoudig om zo'n zuiver analoge zin te bedenken. Een 'vek' is volgens Reichling kennelijk neutraal wat het geslacht betreft, maar wel een persoon. Anders was de aanduiding 'blakker of blakster van mukken' niet op haar plaats geweest. Geslachtsloze persoonsnamen zijn er niet zoveel. Van-daar 'arts'. Zonder Reichlings toelichting is niet dwingend gegeven dat een 'vek' een persoon moet zijn.

De tak raakt de meisjes.

Dit is ook een mooi equivalent. Dat de meisjes door de tak geraakt worden lijdt geen twijfel. Maar om van de 'raker of raakster' van meisjes te spreken als het over een tak gaat is op zijn minst vreemd.

De sleutelwoorden en de suffixen zijn niet te vervangen door nonsens-vormen zonder dat de suggestie van grammaticale structuur verloren gaat.

Rin arts kookpu rin slakgoe.

De nonsenswoordstatus bestempelt het nonsenswoord automatisch tot lid van een open klasse. Alleen dan kan het, verstoken van lexicale betekenis, grammaticaal functioneren, in gezelschap van 'kleine woordjes' en suffixen.

Woordgroepen

Waarop precies berust de indeling in woordklassen?

Voor een antwoord verdiepen we ons eerst in een vertrouwde klasse van het dagelijks leven. Die van de vissen maar weer.

Vissen hebben vele gemeenschappelijke kenmerken. Ze leven in het water. Ze hebben vinnen, kieuwen, een staart. Zijn er ook vissen zonder staart? Ja, als die er door een ander waterbeest afgebeten is. Maar dat bedoelen we niet. We bedoelen staartloze vissen zonder ingreep van buiten. Of die bestaan weet ik niet. Er bestaan geen vissen die niet kunnen zwemmen. We hebben het kennelijk over lévende vissen. Een walvis is geen vis, maar een zoogdier, net als een kat, een mens of een olifant. Hoe weten we dat eigenlijk? Door hem, de walvis, te observeren en te vergelijken met vissen én zoogdieren.

Maar hoe weten we dat een goudvis een vis is? En een karper? Dat is iets waarvan de herkomst wel altijd een raadsel zal blijven. Hoe weten we dat een hagedis een dier is? En dat een dier een dier is? Die kennis is blijkbaar zo oud dat de oorsprong niet is te achterhalen. Vast staat echter: ervan uitgaand dat een vis een vis is, kunnen we alleen op grond van nauwgezette waarneming van walvissen, vissen en zoogdieren vaststellen dat een walvis geen vis is, maar een zoogdier. Wat we waarnemen is: hun vorm, maar vooral ook hun gedrag. Alle wetenschappelijk onderzoek is waarnemen, kijken, luisteren, conclusies trekken.

Dat geldt voor het onderzoek van dieren, mineralen, sterren, planten en ook voor woorden. Het eigenaardige van woorden, in tegenstelling tot vissen en zo, is dat we er te allen tijde over kunnen beschikken. Tenminste, als het om onze moedertaal gaat en zolang we gezond zijn.

De woorden hebben we altijd bij ons. In het hoofd. Niet dat we ze daar concreet kunnen aanwijzen, maar toch. We kunnen ze ons te binnen brengen, opschrijven, ordenen. Ze vertonen een gedrag. Ze dóén iets, net als vissen, vogels

en sterren. Wij mensen doen ook iets. Wij doen iets met de woorden. We hebben
daarin veel vrijheid, maar niet onbeperkt. We zijn aan talloze regels gebonden.
Omgekeerd doen de woorden ook iets met ons. Eenmaal opgeschreven brengen
ze – al is de schrijver verdwenen en totaal onbekend – iets in ons teweeg zodra
we ze lezen. Ze hebben betekenis, verschaffen ons informatie. Over de werkelijk-
heid of over een slechts in de verbeelding bestaande werkelijkheid. Ze vertonen
ook een regelmatig gedrag ten opzichte van elkaar.

Deze waargenomen feiten liggen ten grondslag aan de indeling in
woordklassen. Die berust in de eerste plaats op wat we aan de woorden
waarnemen als ze gezamenlijk optreden. In een groter geheel, een groep, een
woordgroep.

Onder 'woordgroep' verstaat men in de taalkunde een bijeengeplaatste
groep woorden met een onderling verband. Dus niet:

aap noot mies

maar

de vriendelijke aap	tegen de ochtend
heel bang	brood met kaas
in het spinnenweb	gaan slapen
een krat bier	het huis verderop

Het geven van voorbeelden is een noodzakelijke handeling in de taalkunde
en het is vruchtbaar. Voorbeelden demonstreren het woordgedrag, zetten de
verbeelding aan het werk en bevorderen het observeren. We verplaatsen ons
bliksemsnel in een situatie waarin zo'n voorbeeld past. De voorbeelden zijn
onze waarnemingsobjecten die uitnodigen te worden aangevuld. Wat een
woordgroep precies is wordt aan bovenstaande voorbeelden niet opeens
volledig geopenbaard, maar wel verhelderen ze iets van de klassencriteria. De
verhouding tussen de woorden onderling, de wijze waarop elk woord op de
dingen betrokken kan worden, zijn aandeel in het grotere geheel, de volgorde
waarin het optreedt, dat alles vormt de grondslag voor de klasse waartoe het
woord gerekend wordt.

Voorbeelden van zelfstandige naamwoorden zijn gegeven op p. 16. In
de zojuist opgesomde woordgroepen vinden we de volgende zelfstandige

naamwoorden: 'aap', 'spinnenweb', 'krat', 'bier', 'ochtend', 'brood', 'kaas' en 'huis'. We betrekken die woorden automatisch op de overbekende dingen zoals een aap, een spinnenweb, bier in flesjes enzovoorts. Van die dingen wordt in eerste instantie gezegd wat ze *zijn*, een aap, een spinnenweb. Enzovoorts. Ze worden nader gespecificeerd met behulp van de omringende woorden: van de aap wordt meegedeeld dat hij vriendelijk is. Het woordje 'een' geeft ook een nadere specificatie (zie p. 50, 51).

Het is duidelijk dat een woordgroep een hechte eenheid vormt van woorden die met elkaar de informatie structureren. De deelnemende woorden vervullen daarin hun *woordsoortelijke functie*. Overigens kunnen sommige woorden ook alléén, dus buiten een woordgroep, hun woordsoortelijke functie vervullen.

Woordbetekenis

Dat woorden betekenis hebben is een eenvoudige waarheid, maar de beschrijving van die betekenis en van haar status is niet eenvoudig.

Hèt terrein waarop de woordbetekenis hoofdzaak is, is dat van het woordenboek. In het moedertaalwoordenboek vindt men de woordbetekenissen beschreven. De *lexicale betekenis*. Ook de klassenbetekenis speelt een belangrijke rol. Maar in dit hoofdstuk is alleen de *lexicale* betekenis aan de orde. Over de aard daarvan is in de taalkunde heel wat gediscussieerd. Over één ding is men het eens: de betekenis van een woord is, in tegenstelling tot zijn vorm, niet waarneembaar. Zij is een immaterieel gegeven. De geleerden bereikten geen overeenstemming over de vraag of de woordbetekenis onderdeel is van de menselijke kennis, dan wel onafhankelijk daarvan bestaat. Ook zonder ons daarover het hoofd te breken weten we dat we de betekenis moeten kennen om de woorden te verstaan. De betekenis van een woord is onlosmakelijk verbonden met zijn vorm. Die twee kunnen van elkaar onderscheiden maar niet gescheiden worden. De nonsenswoorden, waaraan met opzet een lexicale betekenis is onthouden, functioneren dan ook niet als een woord zónder betekenis, maar als een woord waarvan we de betekenis niet kennen.

De overtuiging dat een woord een niet te doorbreken eenheid van vorm en betekenis is, wordt bevestigd door het bestaan van *homoniemen*. Een homoniem is een woord met dezelfde vorm als een ander woord:

    das (kledingstuk)
    das (zoogdier)

deken (bedekking)
deken (hoogwaardigheidsbekleder)

sport (van een ladder)
sport (voetballen, zwemmen)

wassen (reinigen)
wassen (groeien)

bevallen (een kind baren)
bevallen (behagen)

prijzen (loven)
prijzen (van een prijskaartje voorzien)

Talrijk zijn de gevallen waarin moeilijk is uit te maken of we met twee woorden dan wel met één woord te maken hebben. Is het *hart* (van de stad) hetzelfde woord als het *hart* (van een mens)? Is het *riet* (mondstuk van de hobo) hetzelfde woord als het *riet* (langs de waterkant)? En hoe zit het met: *wortels* (voedsel, peentjes), de *wortels* (van een boom) en de *wortels* (van iemands bestaan)?

Zoals altijd wordt de taalkundige uitgedaagd door het probleem van de grensgevallen. We signaleren het en zullen het in dit bestek daarbij laten. Er zijn onbetwiste homoniemen en daaraan is aan te tonen dat een woord een niet te doorbreken eenheid is van betekenis en vorm. Zozeer, dat we in onze dagelijkse omgang met de taal homonymie niet opmerken. Ik herinner me een gevoel van verwarring toen ik ineens zag dat de naam van het Noord-Hollandse dorp Groet, waar ik met vakantie was, de vorm had van het woord dat 'begroeting' betekent. Dat had ik al die tijd niet beseft! Vorm en betekenis zijn niet alleen een eenheid, maar de betekenis is zo allesoverheersend dat die de vormervaring meebepaalt. Gezien als de vorm van 'groet' (begroeting) werd die van 'Groet' (het dorp) plotseling anders. Vreemd. De betekenis doet de vorm als puur klank- of schriftgegeven als het ware verdwijnen.

Fascinerend ook is de wijze waarop woordbetekenis en de buiten de taal gelegen 'zaak' met elkaar vervlochten zijn. Het woord 'giraf' roept het beeld op van een giraf. De beschrijving van de betekenis van het woord 'giraf' lijkt sprekend op de beschrijving van een giraf: 'zoogdier, herbivoor, huid met een patroon van bruin en wit, zeer lange hals, hoog op de benen', enzovoorts. Toch is er een wereld van verschil tussen het woord 'giraf' en een giraf. Dit verschil en de niet te loochenen overeenkomst leiden tot grote problemen in de taalkunde en de filosofie.

De moderne taalkundigen vereenzelvigen over het algemeen de betekenisbeschrijving van een woord met een definitie, bij voorkeur het wetenschappelijke concept van het ding waar het woord de naam van is. Dus zij definiëren de betekenis van het woord 'water' als H_2O. Dit is speciaal de werkwijze van taaltheoretici en sommige grammatici. De maker van woordenboeken, de *lexicograaf*, heeft aan deze benadering natuurlijk niets. Er is veel voor te zeggen de woordbetekenis, van 'water' bijvoorbeeld, niet te definiëren, af te grenzen, maar te zien als open, en alsof het alle waterkenmerken uitdrukt, zowel bekende als onbekende, zowel directe zoals 'vloeibaar', als afgeleide zoals 'dorstlessend' en 'onmisbaar voor het menselijk leven'. Enzovoorts. Dit benadert de praktijk van de lexicograaf meer dan de H_2O-formule.

Toch lijkt de lexicografische beschrijving op een definitie. Dat moet wel, want zij is eindig en moet bondig zijn. Maar door de verwijzing naar voorbeelden, waarop alle grote woordenboeken zich beroepen, houdt de woordbetekenis het karakter van een ontsloten wijd gebied.

In de praktijk van de grammatica gaat het vooral om het afgrenzen van de lexicale woordbetekenissen *ten opzichte van elkaar* en ten opzichte van de – op hun beurt van elkaar onderscheiden – klassenbetekenissen.

Al met al blijft de lexicale woordbetekenis, door haar verwevenheid met de buitentalige dingen, een oneindig boeiend verschijnsel.

Als men bijvoorbeeld de betekenis van het woord 'appel' duidelijk wil maken aan een vreemdeling wiens taal men niet kent, doet men er goed aan hem een appel te tonen. Als dat een grote groene appel is, zal hij niet denken dat 'appel' 'grote groene appel' betekent. Augustinus, de kerkvader, wees hier al op. Het is, welbeschouwd, een raadsel. Ook zonder zulke raadsels te hoeven oplossen weten we gelukkig, dankzij de oplettendheid en de geschriften van onze voorvaderen, toch nog heel wat over woordbetekenis.

Ik wijs er vast op dat de lexicale woordbetekenis radicaal verschilt van de klassenbetekenis.

De woordvorm

Een groot deel van onze kennis van de woordvorm ontlenen we aan het alfabetische schrift. Daarin zien we waar ieder woord begint en eindigt. Ook zien we uit hoeveel en uit welke letters het woord bestaat. We zijn bijna vergeten dat een woord niet uit letters maar uit spraakklanken bestaat en dat het schrift 'slechts' een weergave is van de spraak. Lezen-en-schrijven is een tweede natuur geworden. We zijn door en door gealfabetiseerd en we verlaten ons op het geschreven woord alsof dat primair is. Dat is het niet. Primair is de klank, het gearticuleerde spraakgeluid. Toch ervaren we het geschreven woord als norm. We vinden bijvoorbeeld dat woorden bestaan uit letters waarvan we sommige niet uitspreken. Zelden hoor je dat woorden bestaan uit spraakklanken die we soms weergeven met te veel letters. We hebben het over lettergrepen, niet over klankgrepen. Eén en ander wijst op de overheersende rol van het schrift. Terwijl toch een kind kan zien dat die rol een afgeleide rol is, afgeleid van de spraak.

Het enige stadium in ons leven waarin daadwerkelijk de spraak vooropstaat en het schrift daarvan een notatie is, is de tijd waarin we leren lezen en schrijven. Dat is aanvankelijk moeilijk. Je moet ineens gaan letten op iets dat helemaal vanzelf gaat, je *spraak*. Iets waar je juist niet op lette. Want, nietwaar, bij het spreken gaat het in eerste instantie om de betekenis en de dingen waar je het over hebt. Dat je daartoe articuleert, intoneert en allerlei volgordes in acht neemt, dat ontgaat je als klein kind. Maar dan ben je een jaar of vijf, zes, de leeftijd waarop een Nederlands kind leert lezen en schrijven, en dan verandert alles.

Het onopgemerkte wordt belangrijk. Was het eerst zo dat het woord 'pop' je uitsluitend aan een pop deed denken, nu moet je ineens letten op wat je precies doet als je dat woord uitspreekt. Op het feit dat je met je lippen aan het begin van 'pop' hetzelfde doet als aan het eind. Je leert dat daarom de eerste en de laatste letter van 'pop' dezelfde zijn. Je moet horen en voelen dat de middenklank van 'pop' dezelfde is als die in 'sok'. Wat een rijke voorstellingen wekken die twee woorden in je op! Maar daar moet je plotseling van afzien, die doen er nu niet toe. Je moet je concentreren op de bijbehorende mondbewegingen en stemgeluiden. Die moet je steeds vertraagd en goed waarnemen. Dat vergt een reusachtige aandacht en discipline. Het is de enige manier om het alfabetische schrift meester te worden. Onbegrijpelijk dat het vrijwel iedereen lukt. En wel zo dat schrijven en lezen binnen een paar jaar een even krachtig automatisme worden als spreken en luisteren.

Het schrift legt de spraakvormen vast. De woordvormen blijven constant en netjes van elkaar gescheiden. In de lopende spraak is dat anders; we rijgen woorden aaneen, 'slikken stukjes in' enzovoorts. Het lopende schrift kent uiteraard ook zulke verschijnselen, maar in gedrukte vorm is het schrift statisch en constant.

Het leren beheersen van het alfabetische schrift eist dat we de woordvorm van de woordbetekenis onderscheiden. Dat heeft iets kunstmatigs, niet alleen omdat vorm en betekenis zo onverbrekelijk één zijn, maar vooral omdat de betekenis van zo groot belang is dat zij alle aandacht tot zich trekt en de vorm naar de achtergrond duwt. En juist die vórm moet worden genoteerd. Beheerst men eenmaal het schrift, dan geldt weer de oude toestand: ook de geschreven vorm 'verdwijnt', maakt plaats voor de betekenis. O mooie lieve pandabeer! We ontkomen niet aan het beeld van een pandabeer, al is het in een gedachteflits. Het kost ons de grootste moeite om die vier woorden te ondergaan als louter vorm. Dat lukt waarschijnlijk totaal niet en is alleen weggelegd voor wie geen Nederlands kent en voor wie niet kan lezen en schrijven. Zozeer heeft bij ons de gewenning toegeslagen. Toch kunnen we die vormen-als-zodanig bestuderen, afgezien van hun betekenis dus. Ook kunnen we in gedachten de spraakklanken horen waarvan ze de weergave zijn.

De kleinste articulatorische spraakeenheid noemt men een *foneem*. Een foneem wordt vaak weergegeven met één letter, zoals gebeurt in 'pop'. Maar lang niet altijd. In 'aap' staan drie letters en toch heeft 'aap' maar twee fonemen, de 'aa' en de 'p'. Een letter, een lettercombinatie of een letterverdubbeling die voor één foneem staat, noemt men een *grafeem*. Voorbeelden van combinaties en verdubbelingen zijn er te over: 'aa', 'oo', 'ui', 'tt', 'ch', 'dt', enzovoorts.

De betekenis is de onwaarneembare component van het woord, de vorm de waarneembare component. Als we dat maar weten.

Onder *woordvorm* versta ik de vorm van het geïsoleerde woord. Dat roept de vraag op of we dan de gesproken of de geschreven versie van het woord bedoelen. Ik zou zeggen: de geschreven vorm voor zover die het afzonderlijke zorgvuldig uitgesproken woord weergeeft. Theoretisch gezien is dat misschien wat luchthartig. Maar het is wel praktisch. En geheel in overeenstemming met wat in het taalkundig bedrijf gebruikelijk is.

De macht van het woord

De macht van het woord wordt onderschat, gezien het gemak waarmee men zegt: 'Dat is slechts een kwestie van terminologie.' Slechts? Het eufemisme illustreert de macht van het woord. Het logenstraft het idee dat de terminologie er niet toe doet. Volgens dat idee is alleen van belang dat het duidelijk is over welk díng het gaat; maar zeker zo belangrijk is hoe het ding wordt genoemd. Of men Stalin aanduidt als 'onze leider en leraar' (zoals hij wenste) of als 'de psychopaat en moordenaar', maakt een groot verschil. Onder Stalins bewind een verschil van leven en dood.

De taalkunde is gericht op het woord, niet in eerste instantie op het ding. Maar het probleem is dat ding en woord in hoge mate worden vereenzelvigd. Vandaar dat een eufemisme, zoals 'tbc' voor 'tering', na verloop van tijd aan verzachtende werking verliest en haast even bedreigend wordt als de ziekte waarvan het de naam werd. De macht van het woord ligt in het feit dat het woord het aangeduide ding onontkoombaar in ons bewustzijn oproept. Aanwezig maakt. Tegen'woord'ig maakt.

De macht van het woord uit zich ook in iets dat sommigen juist als onmacht beschouwen, een tekort: het ongewisse en wisselende en soms innerlijk tegenstrijdige karakter van de betekenis. In het bijzonder van de *gevoelswaarde*, die een integrerend bestanddeel van de betekenis uitmaakt. Een bekend modern voorbeeld van zo'n wisseling is 'meid'. Dat vertoont veel gelijkenis met het historische standaardvoorbeeld 'geus'. 'Geus' is in oorsprong de Nederlandse verbastering van het Franse 'gueux', 'bedelaar', gebezigd als minachtende naam voor Nederlandse smekelingen die zich verzetten tegen het bewind van Filips in 1566. Zij smeedden de naam om tot erenaam van de dappere Nederlandse strijders in de Tachtigjarige Oorlog. Bijna vierhonderd jaar later werd de naam weer actueel in de Tweede Wereldoorlog, toen Nederlandse verzetslieden zich 'Geuzen' noemden. Was 'meid' tot voor kort nog familiaar en joviaal, en zeker geen zakelijke aanduiding (tenzij men in nu vrijwel uitgestorven kringen de eveneens vrijwel uitgestorven dienstbode bedoelde), nu is het praktisch synoniem met het 'jonge meisje' van weleer. Een hedendaags 'geuzen'-voorbeeld zijn de 'dwaze moeders' van Argentinië.

In ons land zijn de veranderende benamingen nauwelijks bij te houden. Ter aanduiding van de alhier wonende buitenlanders is 'allochtonen' toegestaan, evenals 'migranten'. Dat neemt niet weg dat Amerikanen of Zwitsers daar niet onder vallen. 'Lichamelijk gehandicapt' kwam in de plaats van 'invalide', dat alleen nog in de invalidenparkeerplaats en het invalidentoilet gehandhaafd bleef. De vernieuwingen treden op als correcties van termen die beledigend worden geacht. 'Geestelijk gehandicapt' is vervangen door 'verstandelijk gehandicapt'. 'Psychopaat', aanvankelijk een medisch diagnostische categorie, is nu een scheldwoord dat harder aankomt dan 'krankzinnige'.

Hoe meer je over de macht van het woord nadenkt, hoe machtiger het woord blijkt. Taalkundige scherpslijpers, piekerend over het feit dat 'zoogdier met vier poten' een acceptabel stukje betekenisbeschrijving is van het woord 'hond', vragen graag: 'is een hond met drie poten nog wel een hond?' In hun vraag is het antwoord al gegeven. Ja dus. Blijkbaar zien we in de woordbetekenis allereerst de dingen in hun ideale, levende, ongerepte staat, die zelfs nog bij verminkte exemplaren herkenbaar is.

Bepaald ondoorgrondelijk wordt de macht van het woord als we zeker zijn van wat een bepaald ding is, op grond van de naam die het nu eenmaal heeft. Dan weerspiegelt het woord niet zozeer een oordeel van de spreker als wel een onomstotelijk 'weten' betreffende de essentie van het genoemde ding. Een boom bijvoorbeeld. We weten dat iets een boom is. We vragen niet verder. We veronderstellen zelfs stilzwijgend dat, ook al wisten we het niet, een boom een boom is.

Die macht is voorbehouden aan het woord. Daarin kunnen wij niet ingrijpen.

De macht van het woord, ten slotte, toont zich vooral doordat we door de woorden worden overstelpt met beelden en informatie die ons handelen en onze gedachten en gevoelens beïnvloeden, bepalen en zelfs wel tot stand brengen. De grammatica reikt ons middelen aan om te bestuderen hoe dat in z'n werk gaat. De basismiddelen, de woordsoorten en de zinsdelen. Daar gaat het om.

Klasse en soort

Classificeren is indelen in klassen of soorten. Het lijkt wel of een klasse precies hetzelfde is als een soort, maar dat is niet zo. Een klasse is een verzameling. Zij bestaat uit exemplaren met gemeenschappelijke kenmerken. Een soort is niet een verzameling exemplaren, maar het ideaalbeeld waaraan de exemplaren voldoen.

In de praktijk liggen klasse en soort dicht bij elkaar, tenminste als we ons beperken tot de natuurlijke klassen. Die zijn op voorhand door de natuur gegeven. De exemplaren zijn een manifestatie van de soort. De soort leren we kennen aan de hand van de natuurlijke klasse waarin we de exemplaren in concreto of alleen in gedachten bijeenplaatsen. Gaat het om dieren, dan gebeurt dat bijeenbrengen voornamelijk in gedachten (afgezien van dierentuinen). Gaat het om planten, dan is het, als het om kleine representatieve onderdelen gaat (bladeren en dergelijke), mogelijk deze daadwerkelijk te verzamelen en – gedroogd – te bewaren. Ook insecten zijn in groten getale in klassen verzameld naar hun soort. Ze zijn te bezichtigen in speciale musea en wetenschappelijke instituten. Net als de collectie in een herbarium zijn ze wel allemaal dood. Vaak opgeprikt.

Grotere dieren moeten worden opgezet. Geprepareerd. Ook dood.

De kenmerken van een soort uiten zich niet alleen in de al of niet dode vorm, maar vooral in toestand, gedrag en functie van de levende exemplaren.

Net zo is het gesteld met de woordsoorten en de natuurlijke woordklassen. Hun exemplaren kunnen we opsommen, in 'gedroogde' vorm bijeenbrengen. Het woordenboek is een soort herbarium van exemplaren. Hun soort, de woordsoort, staat achter het exemplaar vermeld. Ze zijn niet grammatisch maar alfabetisch geordend. In een *grammatica* (ook wel genoemd *spraakkunst*) zijn de exemplaren bijeengebracht in een grammatische ordening. Niet àlle exemplaren uiteraard, maar wel alle bekende *soorten* worden vermeld. De soort wordt beschreven in termen van vorm, toestand, gedrag en functie, waargenomen aan de exemplaren.

'Exemplaar' betekent *voorbeeld*. Grammatici bestuderen voortdurend voorbeelden. Het leuke is dat in een voorbeeld de woorden gaan leven zodra je er kennis van neemt, ernaar kijkt en luistert en merkt wat ze bij je teweegbrengen. Op die wijze zijn door de eeuwen heen, twintig eeuwen op z'n minst, de woorden van talen geobserveerd en geordend naar de woordsoorten die ons van generatie op generatie zijn overgeleverd.

Het lidwoord (artikel)

Er zijn in het Nederlands drie lidwoorden: 'de', 'het' en 'een'. Zij treden op in samenwerking met een *zelfstandig naamwoord*. Als je om je heen kijkt en opsomt wat je ziet, dan doe je dat met behulp van zelfstandige naamwoorden.

stoel	deur
tafel	mus
raam	boom

Wie die dingen opsomt zegt gewoonlijk niet 'stoel', 'tafel', maar 'een stoel', 'de tafel', etc.

Geïsoleerde zelfstandige naamwoorden laten we wel horen als we ons tot een klein kind wenden: 'Hondje!' of 'pop!' roepen we dan. We passen ons blijkbaar aan de behoefte van de kleine aan.

Het noemen van voorbeelden is voldoende om schoolkinderen zelfstandige naamwoorden te laten ontdekken. Vervolgens wijzen we erop dat al die woorden een bijbehorend woordje hebben: 'de' of 'het'. Dat ligt vast. Je kunt 'de' en 'het' niet naar believen omwisselen. Zoek de fout:

de boek	het huis
het stoel	

We hebben dus een tweedeling in de zelfstandige naamwoorden: 'de'-woorden en 'het'-woorden. Op grond hiervan spreken we van het *woordgeslacht*, het 'de'-geslacht en het 'het'-geslacht. Deze term stamt uit een verleden waarin het lidwoord onverbiddelijk samenhing met *biologisch geslacht*. Daardoor spreken we nog altijd van 'mannelijke' en 'vrouwelijke' woorden, zoals 'tram' resp. 'machine', waarvan een verband met de biologie ons ontgaat. Dat verband is dan ook afkomstig uit een zeer voorbij verleden.

Naast 'de' en 'het' kennen we nog één ander lidwoord: 'een'. In de hier gegeven voorbeelden kunnen we 'de' en 'het' vervangen door 'een'.

> een boek   een huis
> een stoel

Wat het aantal lidwoorden betreft zijn we nu uitgepraat. We weten ook het één en ander om ze te kunnen herkennen. Het lidwoord 'de' kun je zelfs blindelings in een tekst aanwijzen: het is overal waar de vorm 'de' tussen twee spaties staat. Voor 'een' geldt dat ook. Dat verandert pas als je accenten zet:

> één stoel

Dit 'één' verschilt zozeer van 'een' dat het tot een andere woordsoort behoort: het telwoord (p. 78).

Met 'het' kun je in de problemen komen. In 'Het stormt.' is 'het' geen lidwoord. In 'Ik zie het.' ook niet. De woordsoort wordt bepaald door het woordgedrag. Kenmerkend gedrag van het lidwoord is dat het een combinatie vormt met een zelfstandig naamwoord, waar het altijd aan voorafgaat, onmiddellijk, of ervan gescheiden door nog andere woorden:

> een buitengewoon comfortabele stoel

De combinatie lidwoord en zelfstandig naamwoord is een vertrouwd patroon. Andere voorbeelden:

> de schrik   het verdriet
> het geluk   de pijn

Niet alleen concrete voorwerpen, dieren en mensen, maar ook ongrijpbare verschijnselen zijn verbonden met een zelfstandig naamwoord en een bijbehorend vast lidwoord.

De lidwoorden 'de' en 'het' kunnen elkaar niet vervangen, op een enkele uitzondering na, waarover straks meer. Beide lidwoorden kunnen – met subtiel betekenisverschil – vervangen worden door 'een', maar niet onder alle omstandigheden. Ook hierover straks meer.

Men noemt 'de' en 'het' *lidwoord van bepaaldheid* en 'een' *lidwoord van onbepaaldheid*. Gebruikelijk, maar niet erg exact, zijn de kortere aanduidingen *bepaald lidwoord* en *onbepaald lidwoord*. Het verschil tussen 'bepaald' en 'onbepaald' laat zich als volgt illustreren.

Stel, u komt in een gezelschap en zegt: 'Ik heb onderweg een egeltje gezien.' Een wellicht verrassende maar begrijpelijke mededeling. Maar zegt u: 'Ik heb onderweg het egeltje gezien.' dan zal men vragen 'Welk egeltje? We weten van geen egeltje!' Doordat u 'het egeltje' zei lijkt het net of het om een *bepaald* egeltje gaat, *dat al bekend is bij uw toehoorders.*

Zo duidelijk als het onderscheid tussen het bepaalde en het onbepaalde lidwoord is, zo onduidelijk en willekeurig lijkt het verschil tussen 'de' en 'het'.

Waarom is het '*het* huis' en '*de* woning' en '*het* boek' en '*de* kast'? Daarvoor kennen we geen regel, dit moet je gewoon weten per zelfstandig naamwoord. Toch is de verdeling van 'de' en 'het' niet totaal systeemloos. Zo zijn bijvoorbeeld alle verkleinwoorden op '-je' 'het'-woorden:

het huisje	het raampje
het haantje	het woninkje
het mannetje	

Verder zijn tot zelfstandig naamwoord geworden werkwoorden zonder uitzondering 'het'-woorden:

het lachen	het slapen
het schreeuwen	het wandelen

Eveneens 'het'-woorden zijn zelfstandige naamwoorden die afkomstig zijn van een werkwoord en met 'ge-' beginnen:

het gelach	het gewandel
het geschreeuw	

Bij weer andere van werkwoorden afgeleide zelfstandige naamwoorden hoort onveranderlijk het lidwoord 'de', afhankelijk van de *uitgang*:

de bakkerij   de draverij
de trouwerij

de bespiegeling   de spoeling
de bewaking

Bij werkwoordafleidingen op '-sel' hoort 'het':

het baksel   het schrijfsel
het kooksel

Een enkele keer is zowel 'het' als 'de' mogelijk zonder betekenisverschil:

de deksel – het deksel   het schilderij – de schilderij

Hier is in beide gevallen sprake van een werkwoordafleiding (van de werkwoorden 'dekken' en 'schilderen') waarbij de oorspronkelijke werkwoordelijke notie is afgezwakt.

Iets minder uitzonderlijk, maar ook zeldzaam, zijn díe woorden die zowel 'de' als 'het' bij zich kunnen hebben, maar waarbij zich dan wél een betekenisonderscheid voordoet:

de voetbal (het speelvoorwerp)   het voetbal (de voetbalsport)

het haar (haardos)   de haar (afzonderlijke haar)

Overduidelijk, ten slotte, is het unieke verschil tussen

de mens

en:

het mens

Samengevat

Er zijn in het Nederlands drie lidwoorden: 'de' en 'het' (lidwoorden van bepaaldheid) en 'een' (lidwoord van onbepaaldheid). Een lidwoord gaat, al of niet onmiddellijk, vooraf aan een zelfstandig naamwoord:

de (gisteren door ons aangeschafte) wasmachine
het (steeds geheimzinniger wordende) verhaal

In 'Het stormt.' is 'het' dan ook geen lidwoord.

Bij een zelfstandig naamwoord hoort een vast lidwoord van bepaaldheid:

de straat   het huis

Op grond daarvan is de klasse van zelfstandige naamwoorden onder te verdelen in 'de'-woorden en 'het'-woorden. Dat is een verschil in *grammaticaal geslacht*.

Het verschil tussen 'de'- en 'het'-woorden is in onze hedendaagse ogen voor het grootste deel willekeurig, omdat het teruggaat op een nu verdwenen, met het biologisch geslacht samenhangend verschil in een ver verleden.

Het zelfstandig naamwoord (substantief)

Een zelfstandig naamwoord hoort bij een 'ding' in de ruimste zin des woords. Voorbeelden van 'dingen' zijn: levende wezens, planten, voorwerpen, natuurverschijnselen, gevoelens, enzovoorts. De cirkelredenering ligt op de loer, ik ben geneigd te zeggen: 'alles waar een zelfstandig naamwoord bij hoort.' Dat zeg ik dus maar niet. Het zelfstandig naamwoord is voorts gekenmerkt door het contrast *enkelvoud-meervoud*, oftewel het *grammaticaal getal*. Het is een koud kunstje van een enkelvoud een meervoud te maken:

stoel – stoelen   kind – kinderen
tafel – tafels

Enkelvoud wil zeggen: het gaat om één stoel. Precies één. *Meervoud* wil zeggen: er is sprake van meer dan één; het kunnen er twee zijn, maar ook zeshonderdduizend, of meer.

Het Nederlands kent drie meervoudsuitgangen: '-s', '-en' en '-eren'. Het verschil tussen '-s' en '-en' is onderworpen aan fonologische regels. De uitgang '-eren' is beperkt tot een klein aantal 'het'-woorden zoals:

ei – eieren   lam – lammeren
kind – kinderen

Er is een klein aantal woorden met twee meervoudsvormen:

dokters – doktoren   leraars – leraren

Soms moeten we, om een meervoud te krijgen, meer doen dan alleen een meervoudsuitgang toevoegen:

kléinood – kleinódiën   bezigheid – bezigheden

Allemaal extra problemen voor vreemdelingen die Nederlands willen leren. Maar Nederlandse moedertaalsprekers die grammatica willen leren hebben met die vormkwesties geen moeite. De voorbeelden zeggen hun genoeg om onderscheid tussen enkelvoud en meervoud te kunnen maken.

Van een enkelvoud kunnen we gemakkelijk een meervoud maken, maar niet van ieder enkelvoud. Dat wil zeggen, we 'kunnen' het wel, maar het resultaat bevalt ons niet. De taalkundige zegt dan: het resultaat is *ongrammaticaal*, niet in orde, althans niet zo in orde als 'stoel'-'stoelen'. Aan zo'n ongrammaticaal resultaat laten we, volgens goede grammaticale gewoonte, een asterisk oftewel sterretje voorafgaan.

geluk – *gelukken   mist – *misten
honger – *hongers   zand – *zanden

Niet alleen verdragen deze woorden geen meervoud, ze hebben nog iets gemeen. Je kunt er met goed resultaat 'veel' voor plaatsen.

veel geluk   veel mist
veel honger   veel zand

Met 'stoel' kan dat nu juist weer niet:

*veel stoel

Nog een bijzonderheid van deze woorden is dat ze zonder lidwoord kunnen optreden.

Hij hunkert naar geluk.   Ze voelde honger.
Ze voorspellen mist.   In dat emmertje zit zand.

De meerderheid van de substantieven kan lidwoordloosheid niet goed verdragen, evenmin als de combinatie met 'veel', terwijl hun meervoudsvorming
geruisloos goed gaat:

*veel huis	huizen	*Ze kochten huis.
*veel kind	kinderen	*De buren hebben kind.
*veel stoel	stoelen	*Hij bood haar stoel aan.

Let nu op!

Een eigenschap *van het meervoud* is dat het moeiteloos met 'veel'
gecombineerd kan worden, dat het lidwoordloos kan optreden en dat het niet
in het meervoud gezet kan worden.

veel vogels	Ik zie vogels.	*vogelsen
veel veren	Vogels hebben veren.	*verens
veel mensen	Hij haat mensen.	*mensens

Een enkelvoud dat gemakkelijk met 'veel' te combineren is en lidwoordloosheid verdraagt heeft dan ook enige betekenis met het meervoud gemeen: de
vage grens. 'Vogels' dat kunnen er twee zijn, maar ook vele zwermen, *een in
principe onbegrensde hoeveelheid*. Dit laatste geldt ook voor:

melk	zand
mist	geluk
verdriet	goud

De contouren van melk en zand worden altijd bepaald door iets ànders, een
glas, de grond; de contouren van mist zijn vaag of ontbreken geheel. De
contouren van goud vindt men evenmin terug in het woord 'goud', maar ze
ontstaan in met opzet of bij toeval aangebrachte grenzen, een ring bijvoorbeeld, of een staaf, of een schilfer. 'Verdriet' en 'geluk' hebben helemaal geen
contouren. Het woord 'fiets' daarentegen geeft de vaste omtrekken weer van
een fiets.

Tot de *contourloze substantieven* behoren alle stofnamen, een bekende categorie in de Nederlandse grammatica:

goud metaal
zilver hout

Stofnamen onderscheiden zich doordat er 'van' voor kan staan met ongeveer hetzelfde effect als wanneer je er '-en' achter zet:

Een tafel *van hout* is een *houten* tafel.
Een ring *van goud* is een *gouden* ring.

Met het onderscheid begrensd – onbegrensd wordt soms 'gespeeld', met een speciaal verrassingseffect.

Meer *auto* voor uw geld!
Ik heb zo'n trek in *meeuw*!

De auto en de meeuw worden ineens vaag van contour. 'Auto' wordt in de reclamezin een eeuwig uitdijend iets. 'Meeuw' verwijdert zich hier van de welomlijnde vogel in de richting van een ordeloze hoeveelheid meeuwenbrokjes, niet eens noodzakelijk herkenbaar als afkomstig van een meeuw.

'Ik heb zo'n trek in meeuw!' is de verzuchting van een begerige poes, mekkerend naar langs het raam vliegende meeuwen en geportretteerd door Simon Carmiggelt in *Poespas*.

Aan dit opmerkelijke grammaticale verschijnsel wijdde ik enkele pagina's van mijn proefschrift. Carmiggelt reageerde in een Kronkel stomverbaasd op mijn uiteenzetting, teweeggebracht door wat hij noemde 'een achteloos neergepend zinnetje over de poes'. Hiermee illustreert hij perfect de positie van de linguïst die z'n moedertaal onderzoekt en wiens opgave is, stil te staan bij wat we achteloos zeggen, dus zonder zelf precies te weten wát. En juist dáárover iets aan het licht te brengen.

Carmiggelts poezenzin is een mooi voorbeeld van subtiel omgaan met een grammaticaal patroon: dat van de contouren. 'Meeuw' bevat de notie 'scherpe contouren' die in het perspectief van de poes doorbroken wordt door het simpel achterwege blijven van een lidwoord.

Ten minste twee Nederlandse dichters 'speelden' met het contourenpatroon op tegenovergestelde wijze:

Een sneeuw ligt in den morgen vroeg
onder de muur aan ...
(J.H. Leopold)

Er is een sneeuw begonnen in de straat ...
(Gerrit Achterberg)

Het lidwoord 'een' speelt in beide gevallen de centrale rol. Want 'een' laat zich moeilijk combineren met een vage-contourensubstantief:

*een melk   *een rijst
*een boter

Om deze combinaties te kunnen interpreteren word je door 'een' gedwongen de betreffende melk, boter en rijst te zien als *niet* een amorfe massa, maar als een afgezonderde eenheid die we tegelijkertijd niet goed weten af te grenzen, een tegenstrijdigheid die met wat goede wil wel is op te heffen. 'Een melk' kunnen we interpreteren als een afgepaste hoeveelheid melk in een glas, voor één persoon. 'Een boter' als zo'n in aluminiumfolie verpakt rechthoekig kluitje boter, allebei een typisch horeca-verschijnsel, net als 'een koffie'. 'Een rijst' zou kunnen duiden op een speciale rijstsoort, als afgezonderd van andere soorten, andere 'rijsten' gedacht, analoog aan 'soepen', 'granen' en 'sauzen'. 'Een sneeuw' is, in beide poëtische gevallen, eenmalige sneeuw met een onvervreemdbare identiteit waarvan we de contouren niet kennen en die dus altijd geheim zal blijven.

En dan zijn er zo op het oog verwarrende gevallen als:

Een rijst dat hij daar gegeten heeft, kilo's! ...

Op die manier kunnen we 'een' zelfs voor een meervoud zetten:

Een mensen dat er waren, wel drieduizend! ...

Het lijkt nu of het onbepaald lidwoord tòch met contourloosheid, zelfs die van het meervoud, gewoon gecombineerd kan worden. Deze 'tegenvoorbeelden' zijn echter ongeldig, want ze gedragen zich als *vaste verbindingen* en die zijn per definitie uitzonderlijk (p. 232, 238).

Ten slotte bezitten sommige substantieven het vermogen tot beide versies: die mèt en die zonder contouren, zonder dat er wordt 'gespeeld':

kip   glas
kaas   steen
kalkoen   liefde
licht

Zoals elke woordsoort is het zelfstandig naamwoord gekenmerkt door zijn gedrag. Woorden vertonen gedrag als er wordt gesproken, geluisterd, geschreven, gelezen. Ze vervullen dan een *grammatische functie*. De grammatische functie is van *semantische* aard, dat wil zeggen een betekenisverschijnsel. Die functie en de daarmee gepaard gaande vormelijke kenmerken zijn de doorslaggevende factoren voor de onderscheiden woordsoorten. Tot de vormelijke kenmerken behoort de plaats in de woordvolgorde. Het lidwoord *gaat vooraf aan* het zelfstandig naamwoord.

Ook van vormelijke aard zijn de *verbuigingen* en *vervoegingen* waartoe het woord zich leent, bijvoorbeeld dat je er een meervoud van kunt maken met behulp van een *uitgang*:

tuin – tuinen

Het kost geen moeite, het zelfstandig naamwoord te onderscheiden van het lidwoord. Gek genoeg kan een lidwoord zich gedragen als een zelfstandig naamwoord. Zoals in het volgende geval.

Iemand leest in dit boek over het lidwoord. Halverwege begint de uiteenzetting hem te vervelen en hij zegt: 'Dat gezeur over dat 'de' en dat 'het' moet nu maar eens uit zijn!' In deze uitroep zijn 'de' en 'het' allebei een zelfstandig naamwoord. Je kunt er zelfs een meervoud van maken:

Al die de's en die hetten daar word ik gek van.

De lidwoorden 'de' en 'het' vervullen in deze zinnen de functie van een zelfstandig naamwoord.

Ja, alles goed en wel, maar zijn ze nu lidwoord of zelfstandig naamwoord? Dat hangt ervan af.

Het zijn lidwoorden, maar niet *in functie*. Krijgt de functie die ze hier vervullen de nadruk, dan kùn je ze zelfstandig naamwoord noemen. Gaat het om de kenmerkende functie die ze gewoonlijk elders vervullen en die de woordsoort van de andere woordsoorten onderscheidt, dan noem je ze lidwoorden. Hun lidwoordschap achten we dan primair: het *zijn* lidwoorden, maar ze vervullen hier de functie van zelfstandig naamwoord. Aldus de strekking van de mededeling dat ze *in deze zinnen* zelfstandige naamwoorden zijn. Zo kun je met een nijptang wel een spijker inslaan. Dan vervult hij de functie van een hamer. Dan 'is' hij, eventjes, een hamer. Maar het is een nijptang.

Het merkwaardige nu is dat ieder woord zonder uitzondering de functie van zelfstandig naamwoord kan vervullen. In veel gevallen doet het dan iets waartoe het niet geëigend is, net als de nijptang waarmee wordt gehamerd. Wat met het woord wordt aangeduid is niet een ding buiten de taal, zoals een gordijn dat je met het woord 'gordijn' aanduidt, maar een onderdeel van de taal zelf, zoals het woord 'de' dat met 'de' wordt aangeduid. Het woord 'de' presenteert *zichzelf*. In de taalkunde spreekt men in zo'n geval van *zelfnoem-functie*. Die doet zich voor in taalkundige verhandelingen. Maar ook, met een klein verschil, in het niet-taalkundige gewone leven. Het woord verwijst naar zichzelf, maar vooral naar z'n eigen *betekenis*.

Je mag op reis, maar er is een máár bij: je reist niet per vliegtuig.

Het eerste 'maar' in deze mededeling is een voegwoord in functie: het voegt twee mededelingen bijeen. Het tweede 'maar' heeft de functie van zelfstandig naamwoord, voorafgegaan door een lidwoord van onbepaaldheid. 'Nu geen maren!' wordt ook wel gezegd, dan staat het zelfstandig naamwoord in het meervoud. Ook is duidelijk: 'Nu moet je niet steeds zitten te maren.' Dan is 'maren' een werkwoord.

Alle Nederlandse woorden kunnen we de functie van zelfstandig naamwoord laten vervullen, of er een eigenaardig werkwoord van maken. De woorden doen dan iets ongewoons, een beetje iets onnatuurlijks.

In taalkundige beschouwingen wordt voortdurend op deze wijze ongewoon gedaan met de woorden. En filosofen die zich verdiepen in 'het Ik' en
'het Zelf' onderzoeken weliswaar niet *de woorden* 'ik' en 'zelf', maar zijn op
zoek naar de persoonlijkheidsessenties waarnaar deze twee woorden verwijzen. 'Ik' en 'zelf' zijn voornaamwoorden (p. 88 en 100), maar in 'het Ik' en
'het Zelf' vervullen ze de functie van zelfstandig naamwoord. Er zijn nóg
enkele functies die door ieder woord vervuld kunnen worden, maar daartoe
moeten we ons in vreemde bochten wringen.

He, wat zit die man aldoor te dussen.

Dat gaat over die man met het stopwoord 'dus'.
*Maar in welke bochten we ons ook wringen, we slagen er niet in om het
zelfstandig naamwoord 'olifant' een lidwoord te laten zijn, of een voegwoord of
een voornaamwoord. En hiermee stuiten we op een onverbiddelijke structuralis-
tische wet: de leden van een gesloten klasse kunnen een functie vervullen die
uitsluitend is voorbehouden aan hun soort.*
Structuralistisch gesproken zijn de leden van de open klassen *negatief*
gekenmerkt, namelijk door het feit dat zij geen gesloten-klassenfunctie kunnen vervullen. Terwijl, onder het voorbehoud van de 'bochten' oftewel de
kunstgrepen, de leden van de gesloten klassen wél de open-klassenfuncties
kunnen vervullen.
Rekenen we de *kunstgrepen* mee, dan is de functie van zelfstandig
naamwoord niet onderscheidend voor een bepaalde klasse. Waardoor onderscheidt zich dan de klasse van de zelfstandige naamwoorden? Goeie vraag.
Het antwoord ligt in het feit dàt het om *kunstgrepen* gaat. Bij 'hond', 'lamp',
'zee' hoef je niets kunstmatigs te doen om ze zelfstandig naamwoord te laten
zijn. De klasse van de zelfstandige naamwoorden onderscheidt zich doordat
ze alle woorden bevat die onverbrekelijk verbonden zijn met een 'ding': een
boom, een hond, een lamp, een fiets, een sleutel, de zee, een rups, zand, water.
Daartoe behoren alle dingen waarvan het kleine kind vraagt: 'Wat ís dat?',
waarna het tevreden is met het bijpassende zelfstandige naamwoord: een
'rups', een 'sleutel', enzovoorts. Later vraagt het wat iemand of iets *doet*, en
is tevreden met het bijpassende werkwoord: 'timmeren', 'slapen', of 'fluiten'.
Nog weer later vraagt het kind onophoudelijk 'waarom?', tot wanhoop van
de volwassene. Maar het antwoord is al bevredigend als het enig (ook vaag of

nauwelijks redengevend) verband vertoont met het voorafgaande gespreksonderwerp.

Observatie van de kleine kinderen is van verbluffend groot belang voor de taalwetenschap. De structuur van de grammatica loopt parallel aan die van de taalverwerving.

De klasse van de zelfstandige naamwoorden wordt gevormd door de woorden die onverbrekelijk bij een 'ding' horen en alle andere woorden die, net als zij, een vast lidwoord hebben. Een ander kenmerk is dat ze geen gesloten-klassenfunctie kunnen vervullen.

Er is een *maar* bij.

Dit betekent dat er een voorbehoud is, maar het woord 'voorbehoud' kan geen voegwoord worden zoals 'maar':

*Ik kom wel, voorbehoud niet eerder dan volgende week.

'Voorbehoud' blijft een zelfstandig naamwoord en om het hier als zodanig te laten functioneren moet je de interpunctie veranderen en in een soort telegramstijl vervallen.

Ik wil wel komen. Voorbehoud: niet eerder dan volgende week.

Kortom: er zijn grenzen aan de functiemogelijkheden en die zijn bepalend voor de woordsoorten. Het zelfstandig naamwoord 'voorbehoud' kan niet het voegwoord 'maar' in zijn functie vervangen, terwijl omgekeerd 'maar', het voegwoord, onder bijzondere omstandigheden wél de functie van zelfstandig naamwoord kan vervullen. Zo kan men met een stevige schaar nog wel eens een klein spijkertje inslaan, maar met een hamer niet iets doorknippen. En er blijft verschil tussen een schaar die als hamer dienst doet en een hamer die als hamer dienst doet.

Evenals de gesloten klassen zijn de open klassen *natuurlijke* klassen.

De hen kenmerkende functie kan alleen door de leden van gesloten klassen worden vervuld met behulp van *kunstgrepen*. Een op kunstgrepen gebaseerde klasse is, het woord zegt het, kunstmatig.

De klasse van de zelfstandige naamwoorden wordt gewoonlijk onderverdeeld in soortnamen en eigennamen. Maar wat zegt in het algemeen een zelfstandig naamwoord over een ding? Het zegt in de eerste plaats dat het ding een zekere zelfstandigheid bezit. Dat is een beetje verwarrend. Immers, de term 'zelfstandig naamwoord' drukt uit dat het naamwoord zelfstandig is en wij hebben het hier over de zelfstandigheid van het *ding*. Toch gaat het nu om dit laatste. Ter illustratie het volgende.

Kleurnamen functioneren gewoonlijk als een *bijvoeglijk naamwoord*. De functie daarvan is dat het de kleur noemt als onvervreemdbare eigenschap van het ding:

een blauw gordijn

Als je heel tevreden bent over die kleur kun je erover zeggen:

Dat blauw bevalt me reusachtig!

De kleur is natuurlijk nog steeds niet los te maken van het gordijn. Maar *in dit zinnetje* wordt de kleur van het gordijn als los en zelfstandig gepresenteerd. Dan heeft 'blauw' de functie van zelfstandig naamwoord. Niet alleen zegt het zelfstandig naamwoord dat het ding zelfstandig is, het zegt bovendien wát het ding is, tot welke ding-soort het behoort. Het rubriceert het ding.

Zeg je:

Het boek viel uit zijn handen.

dan is wat uit zijn handen viel aangeduid als een boek; als iets dat een boek is; als een exemplaar behorend tot de soort boek. Zeg je van hetzelfde exemplaar:

Het prul viel uit zijn handen.

dan is het boek aangeduid als een prul, en misschien is het de vraag of het dat ook is, maar *in deze presentatie* 'is' het een prul. Het zelfstandig naamwoord bevat dus de kenmerken van de soort waartoe het individuele ding wordt gerekend. De zojuist behandelde substantieven heten daarom ook wel *soort-namen*.

Zoals de aanduiding aangeeft, soortnamen zijn namen. Van een soort. Eigennamen zijn ook namen. Van een exemplaar, een individu. De eigennaamsfunctie is een uitzonderlijk doeltreffend en krachtig taalverschijnsel. De eigennamen zélf onttrekken zich, op een klein deel na, aan het taalkundig gezichtsveld.

De leden van een taalgemeenschap beschikken in principe (maar niet in feite, zie p. 31) over kennis van alle substantieven: 'boter', 'kaas', 'schaartje', 'verdriet', 'woede', etc. Men beschikt niet over kennis van alle eigennamen. Niet alleen niet in feite, ook niet in principe. De eigennaams*functie*, die zeer frequent wordt toegepast, verdient dan ook alle aandacht.

Ook bij de eigennamen is het goed te letten op het verschil tussen de eigennaam zelf en de voor de eigennaam typerende functie. Die bestaat erin dat de naam de identiteit van het betrokken individu uitdrukt.

Gisteren was Ada bij ons op bezoek.

Hier wordt de persoon Ada integraal gepresenteerd. Zeggen we over haar:

Gisteren was een vriendin bij ons op bezoek.

dan wordt de persoon slechts in een bepaalde status gepresenteerd. 'Vriendin' is niet de naam van Ada, maar van de soort waartoe zij in die mededeling wordt gerekend.

De eigennaamsfunctie – integrale verwijzing naar één individu – wordt vaak vervuld door naam én toenaam. Het individuele verwijzen met louter de voornaam, of louter de achternaam is alleen effectief in de kring waarin de persoon bekend is.

Soms fungeert een eigennaam als soortnaam:

Christine Deutekom is *de Maria Callas* van de Lage Landen.

'Maria Callas' drukt hier in de eerste plaats het fenomeen van coloratuursopraan uit en de wereldroem van de Italiaanse vedette. De identiteit van Maria Callas zelf is van secundair belang. Haar privé-eigenschappen, die óók in haar naam besloten liggen, zijn hier niet van toepassing. Vandaar *de* Maria Callas, onderscheiden van andere Maria Callassen of Maria's Callas, dat wil in dit geval zeggen: andere coloratuursopranen die zich kunnen meten met Maria Callas. In de voorbeeldzin wordt verwezen naar een persoon die niet alleen Maria Callas niet is, maar ook niet zo heet. Zelfs als dat allebei wel zo is, kan een eigennaam de soortnaamfunctie vervullen:

> Sophia was gisteren nog vrolijk, maar vandaag zagen we een heel andere Sophia.

Ook al gaat het hier over één persoon, genaamd Sophia, zij wordt gepresenteerd alsof zij twee personen was. Twee Sophia's, die van vandaag en die van gisteren. Het tweede 'Sophia', voorafgegaan door 'een', fungeert als een soortnaam met de betekenis 'persoon die Sophia heet', een soort waarvan er meer exemplaren rondlopen.

De karakteristieke eigennaamsfunctie is dat de identiteit van de aangeduide persoon compleet samenvalt met de betekenis van een naam. Dat is niet het geval als de eigennaam aangewend wordt als soortnaam: de Maria Callas van de Lage Landen is niet Maria Callas, maar Christine Deutekom.

Samengevat

Zelfstandige naamwoorden zijn te verdelen in soortnamen en eigennamen. De soortnaam presenteert een mens, dier of enig ander ding als een exemplaar van de soort die door het zelfstandig naamwoord wordt uitgedrukt. 'De *clown* keek sip.'

In tegenstelling hiermee presenteert een eigennaam een ding als individu in zijn totale identiteit. '*Ferdinand* keek sip.'

Veel soortnamen zijn onafscheidelijk verbonden met hun dingen: 'boom', water', 'vlinder', 'ladder'.

Ook zijn er minder objectieve kwalificaties die een ding als een exemplaar van de uitgedrukte soort presenteren: 'prul', 'sufferd', 'vriend', 'held', 'schoft'.

Bij een soortnaam hoort een vast lidwoord, 'de' of 'het'. Het meervoud wordt gevormd met behulp van een achtervoegsel (uitgang): 'bloem'-'bloemen', 'vogel'-'vogels', 'ei'-'eieren'.

Sommige soortnamen verdragen niet of nauwelijks een meervoud: 'rijst'-'*rijsten', 'modder'-'*modders'.

Dat gaat gepaard met de mogelijkheid in het enkelvoud te worden gecombineerd met 'veel': 'veel rijst', 'veel modder'.

Dit verschil hangt samen met een onderscheid in de lexicale betekenis van de soortnaam. Bevat die de notie *contourloos*, dan is een meervoud ongewoon '*modders', '*rijsten'.

De zelfstandige naamwoorden vormen een open klasse.

De zelfstandig-naamwoord*functie* kan door ieder woord worden vervuld. Maar voor een woord uit een gesloten klasse is dat alleen mogelijk in de *zelfnoemfunctie*. 'Er is een *maar* bij'; 'dat *jij* en *jou* vinden we ongepast.'

De zelfnoemfunctie vergt dus een kunstmatige ingreep, die overigens voor praktisch alle taaleenheden (ook woordgroepen, zinnen) mogelijk is. Voor de woordsoorten is de zelfnoemfunctie daarom van geen belang.

Het bijvoeglijk naamwoord (adjectief)

Het bijvoeglijk naamwoord is een overzichtelijke woordsoort. Het gedrag van de bijvoeglijke naamwoorden is regelmatig en herkenbaar. Hier volgen wat losse voorbeelden.

mooi   klein
lelijk   groot

Nieuwe voorbeelden liggen voor het grijpen.

Plaatsen we vóór een bijvoeglijk naamwoord het lidwoord 'een', dan is een zelfstandig naamwoord een voor de hand liggend vervolg. Er ontstaat dan een simpele woordgroep:

een mooi verhaal   een klein huis
een lelijk portret   een groot plein

De zelfstandige naamwoorden zijn allemaal 'het'-woorden. Dat is geen toeval, maar noodzaak. Want kies je een 'de'-woord dan moet je iets veranderen aan het bijvoeglijk naamwoord.

een mooi*e* vaas   een klein*e* woning
een lelijk*e* foto   een grote tuin

Het bijvoeglijk naamwoord is nu, zoals dat heet, *verbogen*. Dat gebeurt niet alleen als aan het adjectief 'een' voorafgaat en er een 'de'-woord op volgt, maar ook als er aan het adjectief 'de' of 'het' voorafgaat. Het geldt ook voor het meervoud, met of zonder lidwoord:

het paarse gordijn   dikke boeken
de kleine woning   de bange hazen

Dat toevoegen van de '-e', het *verbuigen*, dat doet de Nederlandse moeder-taalspreker automatisch. Vraag hem niet waarom. Of wanneer. Dat weet hij niet precies. Het antwoord is aan de grammatica. De verbuiging van het adjectief is rechtstreeks afhankelijk van het aanwezige lidwoord en van het – *al of niet aanwezige* – vaste lidwoord dat bij het substantief hoort. Dus bij lidwoordloze vage-contourensubstantieven geldt de regel ook:

de melk – warme melk   het licht – wit licht

Het adjectief is onderworpen aan de *trappen van vergelijking*. Een regelmatig verschijnsel met duidelijke vormkenmerken. Er zijn drie trappen:

1. *stellende trap* (*positief*)	2. *vergrotende trap* (*comparatief*)	3. *overtreffende trap* (*superlatief*)
groot	groter	grootst
warm	warmer	warmst
zoet	zoeter	zoetst

Het adjectief 'goed' is onregelmatig: 'goed' – 'beter' – 'best'.

De regels van de buigings-'e' gelden ook bij de comparatief en de superlatief: 'het grote huis' – 'het grotere huis' – 'het grootste huis'. Maar bij meerletter-grepige adjectieven wil de buigings-'e' van de comparatief nog wel eens wegvallen: 'een verbazingwekkender boodschap'. De naam 'trappen van vergelijking' betreft de betekenis. Er wordt *vergeleken*. Het grotere huis is groter dan de andere in aanmerking genomen huizen. Soms is de vergelijking heel impliciet, ja praktisch verdwenen:

p&o is tóch voordeliger!   de betere kringen
een hogere opleiding

Bij de vergelijking wordt altijd binnen één reeks gedacht, met aan de top één alle andere exemplaren overtreffend exemplaar: het grootste, mooiste, enzovoorts. Daardoor is het ongewoon te spreken van

*een mooiste auto

want dat suggereert dat er binnen een reeks meer dan één mooiste auto kan zijn.

Soms vormt een superlatief samen met 'aller-' één woord:

allerliefst

De reeks-notie is hier verdwenen.

een allerliefste poes   een allerongelukkigste opmerking

'Allerliefst' betekent buitengewoon lief en 'allerongelukkigst' buitengewoon ongelukkig. Er zijn wel meer allerliefste poezen en allerongelukkigste opmerkingen en daardoor is de combinatie met 'een' volkomen aanvaardbaar.

Geplaatst vóór een substantief is de grammatische functie van een bijvoeglijk naamwoord: het noemen van een extra eigenschap van het exemplaar waarnaar het substantief verwijst. Een aan de soortkenmerken van de soortnaam toegevoegd kenmerk. Een groot huis is niet alleen een huis, maar *bovendien* groot. Voor een huis dan. Dat moet er beslist bij. Want een grote mier is veel kleiner dan een klein huis, als het tenminste om een echte mier gaat. Het adjectief noemt een eigenschap van het ding, maar wel nadrukkelijk als toegevoegd aan de eigenschappen die al in het substantief zijn vervat. Daardoor ontstaat soms een *pleonasme* (geval van dubbelop noemen):

een ronde cirkel

Het toegevoegde kenmerk 'rond' is al toegekend door het substantief 'cirkel'. Of er ontstaat een *contradictie* (tegenstrijdigheid):

een vierkante cirkel

Het toegevoegde kenmerk 'vierkant' is in strijd met een eigenschap die toegekend wordt door het substantief 'cirkel', namelijk 'rond'. In uitzonderingsgevallen kan een adjectief een kenmerk toevoegen uitsluitend in relatie tot de kenmerken van de substantief-soort:

Nathan Milstein, een prachtige violist!

Deze zin stond in een context waarin 'een prachtige violist' betekent 'iemand die prachtig vioolspeelt' en niet 'een beeldschone man die vioolspeelt'. De schoonheid betreft het vioolspel en dus de man *uitsluitend in zijn kwaliteit van violist*. In een andere context kan diezelfde woordgroep betrekking hebben op een beeldschone man. Dan betreft schoonheid de man ongeacht het feit dat hij violist is. Die dubbelzinnigheid kan worden opgeheven door de buigings-'e' weg te laten.

Nathan Milstein, een prachtig violist.

'Een groot violist' kan klein van stuk zijn, 'groot' kan niet zijn lichaamslengte betreffen; 'een grote violist' kan groot-als-violist zijn, maar ook groot van gestalte; 'een groot man' kan klein van stuk zijn, 'een grote man' niet. In al deze nuances is de buigings-'e' doorslaggevend. Ze doen zich alleen voor in combinatie met het lidwoord 'een'.

Verrassend is het gedrag van de bijvoeglijke naamwoorden die objectief vaststelbare hoedanigheden uitdrukken en rechtstreekse tegenstellingen kennen:

groot – klein	hoog – laag
dik – dun	oud – jong
lang – kort	snel – langzaam

Als je neutraal informeert hoe groot iets is vraag je: 'Hoe groot is dat insect?' en niet: '*Hoe klein is dat insect?', *want dan ben je niet neutraal.* Zo spreken we ook over

de grootte   de hoogte
de dikte   de snelheid
de lengte

En niet van de 'kleinte' enzovoorts, want ook dan ben je niet neutraal. Een neutraal substantief voor het paar 'oud'-'jong' is 'ouderdom', maar dat neigt zeer naar 'hoge ouderdom'. 'Leeftijd' is nog het meest neutraal. Maar als adjectief is 'oud' neutraal genoeg:

een baby van drie dagen oud

Toch kunnen deze adjectief-paren als absolute tegenstellingen optreden.

een hoog huis – een laag huis
een oude vrouw – een jonge vrouw
een snelle beweging – een langzame beweging

Met de ingewikkelde kwesties als *neutraal* en *absoluut* en *tegengesteld* wordt soms gespeeld, bijvoorbeeld in:

51 jaar jong

gezegd van een vitale vijfigplusser. Dat valt op. Maar 'twee jaar jong', gezegd van een kind, valt ook op, terwijl 'twee jaar oud' neutraal is.
    Een 'oude baby' is een contradictie, maar een 'twee dagen oude baby' niet.

Niet altijd gaat een adjectief vooraf aan een substantief, waarmee het een woordgroep vormt.

Jan is groot.   Piet is langzaam.

In deze gevallen spreekt de grammatica toch van een bijvoeglijk naamwoord, maar dan *predicatief gebruikt.* In de substantiefgroep wordt het bijvoeglijk naamwoord *attributief gebruikt.* (Zie p. 114 en 170.)
    Ook predicatief gebruikt kent het adjectief trappen vergelijking:

Jan is groot – groter – het grootst(e).

Ingewikkeld wordt het als een adjectief is gecombineerd met een werkwoord dat geen koppelwerkwoord is.

Anna lacht luid.   Willem springt hoog.

In deze gevallen spreekt de grammatica niet meer van een bijvoeglijk naamwoord maar van een *bijwoord*. Dat is een afkorting voor *bijvoeglijk naamwoord in bijwoordfunctie*. Het specificeren van een gebeuren of een handeling, door een werkwoord uitgedrukt, is een typerende bijwoordfunctie; het nader bepalen van een ding, door een substantief uitgedrukt, is een typerende adjectieffunctie. Er is ook een afzonderlijke klasse van bijwoorden, waaronder 'gisteren', 'hier', 'dikwijls'. Zij zijn onverbuigbaar en hun kenmerkende functie betreft het gebeuren, weergegeven in een werkwoord, en niet een ding, weergegeven in een substantief.

De woordvoorraad verdelen we in klassen op grond van wat een woord naar vorm en functie kan doen. En dat blijkt pas als het daadwerkelijk functioneert. Het classificeren van de woordvoorraad is enerzijds eenvoudig. Veel woordgedrag is met behulp van voorbeelden duidelijk te maken. Anderzijds is het ingewikkeld: sommige gedragingen zijn weliswaar kenmerkend voor een woordsoort, maar komen ook voor bij andere woordsoorten, zoals blijkt uit het bijwoordelijke gedrag van bijvoeglijke naamwoorden. Maar we kunnen weer gerust zijn, bij de diersoorten kennen we dat eveneens.

Vogels zijn gekenmerkt doordat ze kunnen vliegen, maar een vlinder kan ook vliegen. Er zijn zelfs vogels die niet kunnen vliegen, zoals pinguins en struisvogels. Zo kunnen veel adjectieven iets wat een bijwoord ook kan en een enkel adjectief onttrekt zich aan de trappen van vergelijking:

dood – *doder – *doodst

Een kleine subklasse van de bijvoeglijke naamwoorden is die van de *stoffelijke bijvoeglijke naamwoorden*. Ze zijn afgeleid van een zelfstandig naamwoord, van een *stofnaam*. Ze hebben de uitgang '-en' ongeacht het voorafgaande lidwoord en het erna volgende substantief, ze kunnen niet worden verbogen en kennen geen trappen van vergelijking.

> zilver – een zilveren lepel
> papier – een papieren zakdoekje
> goud – de gouden kris

Ten slotte wijs ik op een typisch 'Hollandse' grammaticale bijzonderheid van sommige adjectieven. Zij lenen zich tot een bijwoordfunctie met behulp van de uitgang '-jes':

> zachtjes – Hij lachte zachtjes.
> stilletjes – Hij liep stilletjes weg.
> kalmpjes – Zij sprak kalmpjes verder.

In de Haagse romans van Couperus komen we zulke vormen nogal eens tegen. De meeste bijvoeglijke naamwoorden lenen zich er niet toe:

> *wreedjes   *breedjes
> *berouwvolletjes   *dikjes

Het tegenovergestelde van de laatste twee voorbeelden gaat geruisloos goed:

> smalletjes   dunnetjes

Of adjectieven zich lenen voor de '-jes'-uitgang hangt samen met hun al of niet *neutraal* kunnen optreden: 'groot', 'dik' en 'breed' kunnen dat wel en lenen zich niet voor '-jes'. De combinatie met '-jes' bewerkstelligt een subjectieve zachtmoedigheidsconnotatie en een toets van vluchtigheid, die zich moeilijk verdragen met noties als harde objectiviteit en al helemaal niet met wreedheid of berouw.

Samengevat

Het bijvoeglijk naamwoord, functionerend binnen een substantiefgroep, noemt van een ding een eigenschap die als kenmerk wordt toegevoegd aan de substantiefkenmerken van dat ding. Het is dan *attributief gebruikt*. Het bijvoeglijk naamwoord gaat vooraf aan het substantief.

een groot huis

Het bijvoeglijk naamwoord wordt, afhankelijk van lidwoord en het grammaticaal geslacht en getal van het substantief, verbogen.

het grote huis   mooie huizen
een grote woning

Het bijvoeglijk naamwoord kent trappen van vergelijking:

het grotere huis (*vergrotende trap, comparatief*)
het grootste huis (*overtreffende trap, superlatief*)

Zonder extra uitgang spreken we van *stellende trap* (*positief*):

het grote huis

Een afzonderlijke groep vormen de *stoffelijke bijvoeglijke naamwoorden*. Zij zijn afgeleid van stofnamen:

goud – gouden   katoen – katoenen

Ze eindigen altijd op '-en' en kennen geen trappen van vergelijking.
Het bijvoeglijk naamwoord treffen we ook buiten de substantiefgroep aan:

Jan is lang (langer, het langst).
Hanna is klein (kleiner, het kleinst).

Hier is het adjectief *predicatief gebruikt*.
Het adjectief kan – eveneens buiten de substantiefgroep – optreden als bijwoord:

Jan lacht luid (luider, het luidst).
Hanna zingt mooi (mooier, het mooist).

Bij tegenstellingen als 'groot'-'klein', 'dik'-'dun' kan slechts één van beide een objectief neutrale strekking hebben: 'Hoe groot is dat huis?' is een neutrale vraag over de afmetingen van het huis; 'Hoe klein is dat huis?' is niet neutraal.

Buiten de substantiefgroep, predicatief gebruikt of in de functie van bijwoord, lenen sommige bijvoeglijke naamwoorden zich tot de combinatie met het 'verkleinende' '-jes'.

witjes   flauwtjes
zachtjes

Verbuigingen en trappen van vergelijking doen zich daarbij niet voor.

HOOFDSTUK 16

Intermezzo

Het verschil tussen woorden en andere dingen, de natuur van de taal

Tot hier toe wees ik op overeenkomsten tussen taalkundige en biologische klassen. Het wordt nu tijd een belangrijk verschil te bespreken.

Het gedrag van woorden ligt in hun noemende en verwijzende functie, hun positie ten opzichte van elkaar, en in de wijze waarop zij, afzonderlijk en in vereniging, systematisch betrokken zijn op de dingen buiten de woorden. Dat is de grondslag voor hun classificatie. Een woord functioneert als een teken, meestal in een groter tekengeheel, zoals een woordgroep. Een dier niet, of zelden, en zeker niet in de eerste plaats. Maar van een woord is de tekenstatus de enige bestaansgrond. Dat is de natuur van de taal. De natuurlijke woordklassen bestaan dan ook bij de gratie van de verschillende woordfuncties. De namen van exemplaar, soort en functie overlappen elkaar daardoor. In de biologie is dit anders. De benaming van exemplaar en soort is daar identiek. Een noemende of verwijzende functie is daar niet aan de orde. In tegenstelling tot de woorden maken dieren en planten geen deel uit van een *tekensysteem*.

De woordsoortelijke benaming geeft geen moeilijkheden zolang we maar weten of we een woord benoemen als exemplaar van een soort (dat is tegelijkertijd als klaslid) óf als daadwerkelijk een grammatische functie vervullend, of zelfs als allebei.

Deze terminologische eigenaardigheid komt tot uitdrukking in de volgende formuleringen.

Het bijvoeglijk naamwoord 'luid' (klasselid) is een bijwoord (vervulde functie) in: 'Jan zingt luid.'

Het bijvoeglijk naamwoord 'luid' (klasselid) is verbogen en functioneert als bijvoeglijk naamwoord (vervulde functie) in: 'Jans luide stem klonk bij de voordeur.'

Het telwoord (numerale)

Om het telwoord te leren kennen moet je kunnen tellen. Eén twee drie vier vijf zes zeven acht negen tien. Volautomatisch aan te vullen: elf twaalf dertien enzovoorts. Dat zijn allemaal telwoorden. Preciezer: bepaalde hoofdtelwoorden. De namen van de hele getallen. Ze vormen een oneindige reeks. De taalkundige regelmatigheden in die reeks vallen geheel samen met regelmatigheden van het tientallig stelsel. Bijvoorbeeld: getalsnamen tussen de twintig en honderd zijn opgebouwd volgens het patroon

> eenheid (in rekenkundige zin)
> het woord 'en'
> tiental (in rekenkundige zin)

Dus:

> vijfentwintig   drieëndertig

Zij vallen samen met de naam van het resultaat van het optellen van de samenstellende getallen:

> vijf en twintig is vijfentwintig (5 + 20 = 25)

Tussen 'tien' en 'honderd' zijn alle Nederlandse telwoorden afleidingen of combinaties, of beide, van getalsnamen van 'één' tot en met 'tien', zoals:

> zeventien   veertien
> negenenvijftig

De vervolgens nieuwe telwoorden zijn:

honderd   miljoen
duizend   miljard

Allemaal veelvouden van tien. Zo oneindig als het totale aantal bepaalde hoofdtelwoorden is, zo eindig is het aantal *ongelede* bepaalde hoofdtelwoorden. Dat zijn er minder dan twintig.

De naam van een heel getal, hoe samengesteld ook, is een bepaald hoofdtelwoord. Geplaatst vóór een substantief vervult het zijn kenmerkende grammatische functie, namelijk het noemen van het aantal exemplaren van de door het substantief genoemde soort:

één boom, vogel...
zes bomen, vogels...
negenhonderdduizend bomen, vogels...

In tegenstelling tot de andere hoofdtelwoorden kunnen 'honderd', 'duizend', 'miljoen' en 'miljard' in het meervoud gezet worden.

duizenden mensen   honderden slachtoffers

Dat is substantiefgedrag. In het meervoud gezet betekent het woord: enig veelvoud, welk dan ook, van 'honderd', 'duizend', enzovoorts. We spreken van:

honderdduizenden

maar van

honderden miljoenen (miljarden)

'Miljoen' en 'miljard' neigen dus meer naar het substantief dan 'duizend'. Overigens is 'honderd' van oudsher ook een substantief:

Het loopt in het honderd.

Maar dat is alleen nog over in de staande uitdrukking.

Alle bepaalde hoofdtelwoorden kunnen als substantief fungeren. Bijvoorbeeld als naam van een cijfer. Daarvan zijn er tien: 0, 1, 2, 3, 4, 5, 6, 7, 8, 9.

Er staat een zeven op de deur.

Een cijfer is een schriftelijk ongeleed rekenkundig teken. Er zijn tien cijfers en eveneens tien ongelede bepaalde hoofdtelwoorden die daar net niet compleet mee corresponderen, want 'tien' telt, in cijfers weergegeven, twee cijfers. De incongruentie wordt veroorzaakt door de nul (0). '0' ('nul') is wel een cijfer, geschreven teken in het aanduiden van getallen, maar in tegenstelling tot de negen andere cijfers duidt het niet een heel getal aan. 'Nul' drukt, geplaatst vóór een substantief, niet een aantal uit, maar de afwezigheid van welk aantal dan ook. Bij de aanduiding van reële hele getallen wordt het cijfer 0 pas noodzakelijk boven de negen. En altijd is het dan gecombineerd met één of meer van de negen cijfers die wél een reëel en heel getal uitdrukken. De cijfers kunnen onbeperkt herhaald worden.

'Nul' staat in de Nederlandse woordenboeken en grammatica's te boek als hoofdtelwoord. 'Nul' verdraagt slechts een meervoud achter zich, geen enkelvoud. Het kan 'geen' vervangen, maar niet als er een enkelvoud op volgt:

geen tafel – *nul tafel   geen tafels – nul tafels
geen rijst – *nul rijst

Een leuk filosofisch probleempje vormt de vraag of 'nul' werkelijk een getal is. Wiskundigen menen in elk geval, om rekenkundige redenen, van wel: Je kunt het bij een getal optellen, het ervan aftrekken, ermee vermenigvuldigen, etc. Maar de vraag is natuurlijk of er dan nog wel sprake is van optellen, etc. Is het niet net zo vreemd als de totale afwezigheid van voedsel 'voedsel' noemen en niets eten gelijkstellen met eten? Mocht deze vraag ooit beantwoord kunnen worden dan pas zullen we weten of 'nul' terecht een hoofdtelwoord wordt genoemd.

Alle bepaalde hoofdtelwoorden kunnen als substantief fungeren, namelijk als naam van het betreffende getal. Maar dat een geval van zelfnoemfunctie en dus niet kenmerkend voor het telwoord.

Jan heeft een tien voor rekenen.

Als aanduiding van een jaartal vervult een bepaald hoofdtelwoord een substantieffunctie die wél tot het telwoord beperkt is. Het jaartal wordt meestal in cijfers en niet in letters weergegeven. (Notariële akten vormen een uitzondering.)

In 1492 werd Amerika ontdekt.

Hier verwijst het gelede bepaalde hoofdtelwoord 'veertienhonderdtweeënnegentig' niet naar het getal als zodanig, maar naar een bepaald jaar in de tijd. Het is een afkorting van de substantiefgroep 'het jaar veertientweeënnegentig', wat op zijn beurt een afkorting is van 'Het veertienhonderdtweeënnegentigste jaar na Christus' geboorte'.

Met 'veertienhonderdtweeënnegentigste' zijn we terechtgekomen bij het *bepaald rangtelwoord*, dat nauwkeurig correspondeert met het bepaald hoofdtelwoord. Het is daar een verbogen vorm van. Het is niet de naam van een getal, maar van een door het getal aangeduide plaats in de getallenreeks beginnend met één.

de elfde keizer   de duizendste bezoeker

De bepaalde hoofd- en rangtelwoorden zijn regelmatig in hun woordvorming. Er zijn enkele onregelmatigheden, zoals:

één – elf – eerste   vier – veertien – veertig
twee – twaalf – twintig   acht – tachtig
drie – dertien – dertig – derde

Naar analogie van 'tien' – 'tiende', 'zeven' – 'zevende' en 'negen' – 'negende' zou je 'miljoen' – 'miljoende' verwachten, maar het is 'miljoenste'.

Naast de klasse van de bepaalde hoofdtelwoorden is er die van de *onbepaalde hoofdtelwoorden*. Die is eindig en klein. Ik noem de belangrijkste twee:

veel (meer, meest)   weinig (minder, minst)

Ze geven aan dat het om een onbepaald aantal gaat, een relatief groot aantal ('veel') of een klein ('weinig').

De onbepaalde hoofdtelwoorden kunnen, net als de bepaalde, vóór een substantief geplaatst worden. Ze geven dan onbepaalde informatie over de relatieve hoeveelheid exemplaren van de soort, uitgedrukt in het substantief. 'Al(le)', 'sommig(e)', 'enig(e)', 'enkel(e)' worden ook tot de onbepaalde hoofdtelwoorden gerekend, maar ook wel tot de *voornaamwoorden* (zie aldaar). Hun plaats ten opzichte van het lidwoord in de woordgroep is wisselend:

alle plaatsen – al de plaatsen
enkele fouten – de enkele fouten (die ik zag zijn vergeeflijk)
sommige fouten – *de sommige fouten

'Een paar' treedt als vaste verbinding ook op als onbepaald hoofdtelwoord, synoniem met 'enkele', evenals 'paar' alleen:

een paar straten – de paar straten (in dat dorp)...

De onvermengde onbepaalde hoofdtelwoorden zijn 'veel' en 'weinig'. De daarbij behorende substantieven zijn óf meervoud, óf een enkelvoudig vage-contourensubstantief (waaronder de stofnamen):

veel soldaten   weinig hulp
weinig wolken   veel ijzer
veel bloed   weinig staal

'Veel' en 'weinig' kunnen verbogen worden. Na een lidwoord is dat verplicht:

de vele problemen   het weinige plezier

Doordat 'veel' en 'weinig' trappen van vergelijking kennen ('meer', 'meest', 'minder', 'minst') en verbogen kunnen worden zijn ze verwant met bijvoeglijke naamwoorden. Maar in de woordvolgorde van de substantiefgroep hebben ze een andere plaats dan de bijvoeglijke naamwoorden:

veel haastige ongelukkig mensen
veel ongelukkige haastige mensen
*haastige ongelukkige veel mensen
*haastige veel ongelukkige mensen
*ongelukkige haastige veel mensen
*ongelukkige veel haastige mensen

De telwoorden gaan vooraf aan de bijvoeglijke naamwoorden. 'Veel' en 'weinig' kunnen, al of niet verbogen, als zelfstandige, maar ook als bijvoeglijke woorden optreden, zowel met als zonder lidwoord.

Velen zijn geroepen, weinigen uitverkoren.
Zij zijn met veel (velen). Wij zijn met weinig (weinigen).
De vele tegenstanders verstoorden de bijeenkomst.
De weinige voorstanders waren teleurgesteld.
Hij bezit veel. Zij bezit weinig.
Het vele (weinige) dat overbleef werd eerlijk verdeeld.

Net als de bepaalde hoofdtelwoorden kunnen 'veel' en 'weinig' buiten de substantiefgroep in een specifieke 'er'-constructie (zie p. 19, 20) optreden.

Ze kochten er negen.   Ze kochten er weinig.
Ze kochten er veel.

Ook kunnen 'veel' en 'weinig' optreden als bijwoord:

Hij lacht veel.   Hij huilt weinig.

'Weinig' kan ook substantiefachtig gebruikt worden in een vaste verbinding met 'een'.

Ze bloosde een weinig.   Ze nam een weinigje suiker.

Ten slotte is er nog het vragend onbepaald hoofdtelwoord 'hoeveel', met als corresponderend rangtelwoord 'hoeveelste'. Het bevestigend pendant is 'zoveel' respectievelijk 'zoveelste'. Maar 'zoveelste' betekent dat er relatief flink veel van de betreffende exemplaren aan het 'zoveelste' vooraf zijn gegaan.

> Daar heb je de zoveelste ontevreden reiziger!
> Dat is nu de zoveelste keer!

Zulke nuances onttrekken zich aan elke beschreven regelmaat.

Een regelmatig antwoord op de vraag 'de hoeveelste?' is een bepaald rangtelwoord: 'de vierde'; 'de achtendertigste'.

Een tussencategorie tussen hoofd- en rangtelwoorden vormen de namen van de zogenoemde *breukgetallen:*

> vijf zevende (5/7)   drie vier elfde (3 4/11)

Een breuk betreft de gelijke delen van één geheel. Vijf zevende van een taart is het beste voor te stellen als vijf punten van een taart die in zeven gelijke punten is verdeeld. Maar doordat in de rekenkunde de gedachte aan dingen (taartpunten) is verdwenen en de gedachte aan getallen domineert, is in dit geval 'zevende' niet echt een rangtelwoord. De naam van het aangeduide breukgetal heet wel een telwoord, maar wordt niet gespecificeerd als hoofd- of rangtelwoord. Als er op de naam van het breukgetal een substantief volgt staat dat in het enkelvoud.

> zeven drie tiende taart

Substantieven die zelf een hoeveelheid uitdrukken zijn de aangewezen substantieven voor combinatie met een breukgetaltelwoord:

> zeven drie tiende kilometer, liter, kilogram
> drie en een kwart minuut (drie en een vierde minuut)

Het breukgetal '(een) half' wordt, al naar gelang het grammaticaal getal en geslacht van het substantief, verbogen:

een half ei   twee halve kippen
een halve kip

In tegenstelling tot woorden als 'taart' kunnen allerlei hoeveelheidswoorden in het enkelvoud staan ook na een heel getal groter dan één:

zeventig kilometer   drieëntwintig jaar
negen kilogram   vier uur

Maar:

*drie eeuw   *achttien week
*vijfendertig minuut

Ook de naam van een *tiendelige breuk* is een telwoord. Daar staat soms het woord 'komma' in:

zeven komma acht procent (7,8%)

Op de naam van een tiendelige breuk laten we gewoonlijk een enkelvoudig hoeveelheidssubstantief volgen: 'procent', 'miljard', 'ton', etc. Een allereenzaamste uitzondering onder de telwoorden vormt 'één'.

Zij had maar *één* broer.
Die *éne* broer is nu dood.
Hij was haar *enige* vriend.
De *ene* bisschop is de andere niet.

Ik ga niet proberen de verborgen betekenisschakeringen van 'één' en zijn afleidingen te onthullen, laat staan te verklaren. Wel nodig ik u uit er zelf aandacht aan te schenken. Dan zult u zien dat de aanvankelijke eenvoud van het telwoord, een buitengewoon herkenbare woordsoort, als vanzelf overgaat in enigszins duistere telwoordverschijnselen, die we zonder aarzelen dagelijks in praktijk brengen.

Samengevat

De bepaalde hoofdtelwoorden vormen een klasse bestaande uit de namen van de hele getallen en zijn dus oneindig in aantal: 'één', 'twee', 'drie', enzovoorts. Het aantal ongelede telwoorden is daarentegen zeer beperkt.'Eén', 'twee', 'elf', 'honderd', enzovoorts.

Ieder bepaald hoofdtelwoord kan verbogen worden tot een bepaald rangtelwoord:

één – eerste
twee – tweede
driehonderd – driehonderdste

Telwoorden vervullen hun kenmerkende functie in een substantiefgroep, waarin zij voorafgaan aan het substantief.

Een *bepaald hoofdtelwoord* noemt dan het aantal van de exemplaren van de soort die wordt uitgedrukt door het substantief. Het *bepaald rangtelwoord* geeft van één zo'n exemplaar de plaats in de getallenreeks aan. De 'rang'.

vierentwintig konijnen   het vierentwintigste konijn

Er zijn ook *onbepaalde hoofdtelwoorden*. De voornaamste zijn 'veel' ('meer', 'meest') en 'weinig' ('minder', 'minst').

veel konijnen   weinig hazen

Ze bevatten de aanduiding 'onbepaalde hoeveelheid' en geven van die hoeveelheid de relatieve grootte aan; de hoeveelheid betreft het aantal exemplaren van de door het substantief aangeduide soort.

'Hoeveelste' en 'zoveelste' zijn de enige *onbepaalde rangtelwoorden*.

'Enige', 'beide', 'enkele', 'sommige' en 'alle', voorafgaand aan een meervoudig substantief, worden tot de onbepaalde hoofdtelwoorden gerekend, maar ook wel tot de onbepaalde voornaamwoorden. Dat verschil berust niet op een verschil in grammatische functie; de keuze is willekeurig. Dat er twee mogelijkheden zijn komt doordat deze bijvoeglijke woorden deels met het telwoord, deels met het voornaamwoord in functie overeenkomen. (Zie p. 90.)

De bepaalde hoofdtelwoorden en rangtelwoorden vormen op grond van de oneindigheid van het aantal natuurlijke getallen een open klasse. Maar de subklasse van de onbepaalde hoofdtelwoorden en rangtelwoorden is klein en gesloten. Evenals die van de *ongelede bepaalde hoofdtelwoorden*.

Het voornaamwoord (pronomen)

Zo ordelijk als het telwoord is, zo grillig lijkt het voornaamwoord. Er is één troost: er zijn oneindig veel telwoorden, de meeste van een aanzienlijke lengte, en er is maar een beperkt aantal voornaamwoorden, allemaal gering van omvang. Hier volgen ze, in de gebruikelijke onderverdeling.

Persoonlijk voornaamwoord	*Bijbehorend bezittelijk voor-naamwoord*
(pronomen personale)	*(pronomen possessivum)*
ik, mij, me	mijn, m'n
jij, je, jou, gij, ge	jouw, je, uw
hij, -ie, hem, zij, ze, haar, het, 't	zijn, z'n, haar, d'r
wij, we, ons	ons, onze
gij, ge, jullie, u	uw, jullie
zij, ze, hen, hun	hun

Aanwijzend voornaamwoord (pronomen demonstrativum)

deze, die, gene
dit, dat

Vragend voornaamwoord (pronomen interrogatirvum)

wie
wat
welk(e)

Onbepaald voornaamwoord (pronomen indefinitium)

  iemand, niemand
  iets, niets, niks, wat
  men
  het, 't

Wederkerend voornaamwoord (pronomen reflexivum)

  mij, me
  je
  zich
  ons
  je, u, zich

Wederkerig voornaamwoord (pronomen reciprocum)

  elkaar, elkander

Betrekkelijk voornaamwoord (pronomen relativum)

  die, dat
  wie, wat
  welk(e), dewelke, hetwelk
  hetgeen

Bepalingaankondigend voornaamwoord

  degeen, degene
  datgene

Ten slotte is er nog een rijtje *diversen*, zoals altijd de rubriek van de verlegenheidsgevallen, maar wel allemaal woorden die tot de voornaamwoorden gerekend worden.

sommige(n)	eenzelfde
enig(e(n))	eigen
enkel(e(n))	allebei
beide(n)	allemaal
alle(n)	dergelijk(e(n))
ander(e(n))	ieder(e)
zelf, zelve	elk(e)
zichzelf	iedereen
jezelf	elkeen
onszelf	(de)zulke(n)
uzelf	zo'n
dezelfde(n)	geen
hetzelfde	wat ('Hij kocht wat vruchten')

De klasse van voornaamwoorden telt, inclusief de *diversen* nog geen honderd leden. Hoewel de kenmerkende grammatische functie van 'het' voornaamwoord zich moeilijk laat beschrijven en er de nodige grensgevallen zijn, is de klasse duidelijk gesloten.

Sommige voornaamwoorden zijn verbuigbaar: 'welk'-'welke', 'ons'-'onze' en dergelijke. In de opsomming komen sommige vormen tweemaal voor, zoals 'haar', 'ons', 'u'. Die worden daarom wel *homofonen* genoemd.

De opmerkelijkste karakteristieken van het voornaamwoord zullen hierna de revue passeren. We beginnen met het *persoonlijke voornaamwoord*. Het oerrijtje van onze persoonlijke voornaamwoorden is:

ik, jij, hij, wij, gij, zij.

Je leert het zó van buiten. Het rijmt. Het is kort. Maar ouderwets is het ook: het bevat wél het plechtige 'gij' (alleen in het meervoud) en niet het dagelijkse 'jullie'. Het is seksistisch: het bevat wél het mannelijke 'hij' en niet het vrouwelijke 'zij'. Het is ook anderszins incompleet: de beleefdheidsvorm 'u' ontbreekt, evenals het persoonlijk voornaamwoord 'het' ('Ik zoek mijn glas; *het* staat zeker nog in de keuken.'). Maar het rijtje heeft een grote verdienste: het demonstreert ondubbelzinnig het principe van de *grammaticale persoon*, zowel in het enkel- als in het meervoud.

		enkelvoud	*meervoud*
eerste persoon	–	ik	wij
tweede persoon	–	jij	gij
derde persoon	–	hij	zij

De eerste persoon is: *door* wie gesproken wordt.
De tweede persoon is: *tot* wie gesproken wordt.
De derde persoon is: *over* wie gesproken wordt.

De grammaticale persoon is dus gedetermineerd door z'n relatie tot de spreker en het gesprokene. De werkelijkheid is iets ingewikkelder. Immers wie 'hij' zegt spreekt inderdaad *over* iemand. Maar wie 'ik' zegt óók, namelijk over zichzelf. Wie 'jij' zegt spreekt eveneens *over* iemand, namelijk over de toegesprokene. Maar een 'ik' wordt *bovendien* gepresenteerd als de sprekende, de 'jij' als de toegesprokene en de 'hij' *uitsluitend* als de besprokene. 'Wij' betreft in de praktijk gewoonlijk één persoon die over zichzelf en anderen spreekt.

Spreken is voorbehouden aan personen. Toegesproken worden ook. Als we een dier, boom of voorwerp met 'jij' toespreken doen we alsof dat personen zijn. Hetzelfde geldt voor sprekende dieren en voorwerpen in sprookjes. Maar 'be'-sproken worden kan alles en iedereen. De *derde persoon* hoeft dus niet over een persoon in strikte zin te gaan, zelfs niet over een alsof-persoon. Wie over zichzelf spreekt in de derde persoon doet wel alsof, namelijk alsof er twee personen zijn: de spreker en de besprokene.

'Deze jongen wil nog iets vragen' zei Kees, zichzelf bedoelend.

Wie de toegesprokene benadert met een *derde persoon* vergroot de afstand:

Wil Dokter een kopje thee?

Aan het oerrijtje kan men gemakkelijk de gebruikelijke alternatieven toevoegen, inclusief de gangbare verkorte en andere parallelle vormen. Hoe dan ook, er zijn drie grammaticale personen, niet meer en niet minder.

eerste persoon enkelvoud:	ik, 'k
tweede persoon enkelvoud:	jij, je, u, gij, ge
derde persoon enkelvoud:	hij, -ie, zij, ze, het, 't

eerste persoon meervoud:	wij, we
tweede persoon meervoud:	gij, ge, jullie, u
derde persoon meervoud:	zij, ze

Deze vormen heten de *subjectsvorm* van het persoonlijke voornaamwoord. Dat is de vorm die als het ware vráágt om een werkwoord.

ik lach	wij lachen
jij lacht	jullie lachen
hij lacht	zij lachen

Omdat het Nederlands onze moedertaal is kunnen we zo tientallen van die werkwoorden in hun juiste vorm, de juiste *vervoeging*, achter de voornaamwoorden plaatsen. De vorm van het werkwoord wordt gedomineerd door de *persoon* en het *getal* van het persoonlijk voornaamwoord. Het persoonlijk voornaamwoord heeft enige overeenkomst met een substantiefgroep of een in zijn eentje optredend substantief. Het verwijst naar een *ding*. Maar een substantief(groep) kan alleen vervangen worden door een persoonlijk voornaamwoord in de *derde persoon*.

Han lacht. – De arme jongen lacht. – Hij lacht.
Baby's huilen. – De kinderen huilen. – Zij huilen.

Een substantief(groep) gecombineerd met een vervoegd werkwoord, 'staat' dan ook in de *derde persoon*.

De persoonlijke voornaamwoorden kennen een bijbehorende *objectsvorm*.

ik: mij, me	wij: ons
jij: jou, je	gij: u; jullie: jullie; u: u
hij: hem; zij: haar; het: het, 't	zij: hen, hun

Het functieverschil tussen *subject* en *object* blijkt uit de volgende tweetallen:

Ik hoor Jan. – Jan hoort *mij*.
Jij zoekt Piet. – Piet zoekt *jou*.
Hij slaat Adèle. – Adèle slaat *hem*.
Wij bewonderen Kees. – Kees bewondert *ons*.
Jullie plagen Erik. – Erik plaagt *jullie*.
Zij verafschuwen Maarten. – Maarten verafschuwt *hen*.

In die tweetallen verschillen de door de persoonlijke voornaamwoorden aangeduide mensen in positie ten opzichte van het gebeuren dat door het werkwoord is uitgedrukt. In 'Ik hoor Jan.' is 'ik' degene die hoort, in 'Jan hoort mij.' degene die gehoord wordt. In de andere tweetallen is er precies datzelfde positieverschil.

Het persoonlijk voornaamwoord geeft dus niet alleen de *grammaticale persoon* te kennen, maar ook het *grammaticale getal* en zegt ook iets over de positie ten opzichte van het werkwoordgebeuren.

Het bezittelijk voornaamwoord (pronomen possessivum)
Het bezittelijk voornaamwoord is naaste familie van het persoonlijk voornaamwoord. Het wordt eveneens beheerst door de *grammaticale persoon* en het *grammaticaal getal*. Het kan bovendien, net als het lidwoord, een hechte combinatie aangaan met een substantief.

mijn huis	*ons* land
jouw/je/uw vader	*uw/jullie* keuze
zijn/haar beroep	*hun* schip

Het bezittelijk voornaamwoord drukt een welbepaalde relatie uit tussen het ding dat genoemd wordt door het substantief en iemand of iets door wie, tot wie of over wie (waarover) gesproken wordt. Dat is niet altijd een zuivere bezitsrelatie. 'Jouw vader' is niet jouw bezit en 'mijn beroep' is ook niet mijn bezit. Maar omgekeerd is, ter aanduiding van iets dat je wél echt bezit, het bezittelijk voornaamwoord de aangewezen woordsoort.

zijn linkerarm   *onze* pas afbetaalde videorecorder

'Onze groentewinkel' kan best ons bezit zijn, maar ook heel goed de winkel van iemand anders waar we geregeld 'onze' groente kopen. Al met al gaat het om een bezitachtige relatie, die in de praktijk zelden onduidelijk is.

Het bezittelijk voornaamwoord vormt met een substantief en eventueel een telwoord en één of meer bijvoeglijke naamwoorden een substantiefgroep; het staat altijd vooraan.

mijn drie prachtige marmeren uilen
uw zevenduizend begerige volgelingen

Hierin komt het bezittelijk voornaamwoord overeen met het lidwoord.

Maar het kan ook iets dat het lidwoord niet kan: in verbogen vorm zelfstandig verwijzen, voorafgegaan door een lidwoord van bepaaldheid.

het/de *mijne(n)*
het/de *jouwe(n)*; het/de *uwe(n)*
het/de *zijne(n)*, *hare(n)*
het/de *onze(n)*
het/de *uwe(n)*
het/de *hunne(n)*

Het bezittelijk voornaamwoord 'jullie' vormt op deze regel een uitzondering: *de jullië(n).

Achter 'de mijne' enzovoorts kun je tussen haakjes een substantief denken dat al genoemd is: 'de mijne', namelijk mijn piano, in tegenstelling tot zijn piano. Maar dat hoeft niet. 'Het mijne' ('jouwe' enz.) kan ook betekenen: 'alles wat in het algemeen van mij (van jou enz.) is'. Zoals in 'Ieder het zijne!' 'De mijne' is in de literaire traditie zoiets als onze geliefde voor eeuwig. 'De uwen', 'de mijnen' enz. zijn de naaste familieleden, de 'dierbaren' zoals Carmiggelt ze noemde.

Het aanwijzend voornaamwoord (pronomen demonstrativum)
Het aanwijzend voornaamwoord kan – alweer: net als het lidwoord – een substantiefgroep openen. 'Deze' en 'die' horen bij 'de'-woorden en bij alle meervouden, en 'dit' en 'dat' bij 'het'-woorden.

deze bloem(en), *die* bloem(en)
deze tafel(s), *die* tafel(s)
dit, dat gebouw, *deze, die* gebouwen

Maar in tegenstelling tot het bezittelijk voornaamwoord kan het aanwijzend voornaamwoord ook zelfstandig optreden (zelfstandig voornaamwoord):

Ik wil *deze*.	*Dit* gaat te ver.
Die bevalt mij niet.	*Dat* lukt nooit.

In deze laatste vier gevallen is wél verondersteld dat we al weten naar welk ding het aanwijzend voornaamwoord verwijst *en hoe dat ding genoemd wordt*. Gaat het om een boek, dan zeggen we 'Ik kies *dit*', want het is 'het boek', gaat het om een lamp, dan zeggen we 'Ik kies *deze*', want het is 'de lamp'. Het verschil tussen 'deze' en 'die' en tussen 'dit' en 'dat' is een verschil in afstand tot de spreker. 'Dit' is dichterbij dan 'dat' en het is iets nadrukkelijker. 'Deze' is dichterbij en iets nadrukkelijker dan 'die'. Vandaar dat 'die-en-die' kan dienen ter aanduiding van vaag-bekenden, en 'deze-en-deze' niet. Net zo kan 'dat-en-dat' een vaag iets betreffen en 'dit-en-dit' niet. 'Deze' en 'dit' zijn daarvoor te dichtbij en dus te duidelijk. Het nabijheidsaspect geldt ook in figuurlijke zin. 'Deze gedachte' is bijvoorbeeld korter geleden geopperd dan 'die gedachte' en 'dit voorstel' ligt verser in het geheugen dan 'dat voorstel' van zes jaar geleden. Zowel het letterlijke als het figuurlijke afstandsverschil is gelijk aan dat tussen 'hier' en 'daar'.

Het vragend voornaamwoord (pronomen interrogativum)
De vragende voornaamwoorden zijn: 'wie', 'wat' en 'welk(e)'. 'Wie' en 'wat' komen uitsluitend zelfstandig voor en 'welk(e)' voornamelijk bijvoeglijk, horend bij een substantief. Als er geen substantief volgt is er toch stilzwijgend één ingecalculeerd, waarnaar de verbuiging van 'welk' zich richt.

Wie klopt daar?
Wat ligt daar?
Welke dag is het?
Welk nummer is het?
Welk(e) bedoel je (welk huis, welke deur)?

'Wie' vraagt naar een mens of naar mensen.

> *Wie* komt er vanavond? *Wie* komen er vanavond?

'Wat' vraagt naar iets anders dan een persoon. 'Welk(e)' kan op zowel mensen als op dingen betrokken zijn. 'Wat' vraagt hoogst zelden naar een meervoud, maar het kan wel.

> *Wat* zijn dat?

De vragende voornaamwoorden kunnen bij gelijkblijvende vorm verschillende posities ten opzichte van het werkwoordgebeuren betreffen:

> *Wie* gaven jullie de prijs? *Wat* zegt zij?
> Met *wie* is hij getrouwd? In *welk* land woont hij?

In deze zinnen zijn 'wie' en 'wat' *zelfstandige* (vragende) voornaamwoorden. 'Welk' is hier een *bijvoeglijk* (vragend) voornaamwoord, zoals ook de bezittelijke en aanwijzende voornaamwoorden in combinatie met een substantief bijvoeglijk zijn.

Alle hier gegeven voorbeelden met vragende voornaamwoorden zijn rechtstreekse vragen. Geen *open vragen*, waarin niets zeker is, zoals:

> Heeft Henk eergisteren de leeuwin geaaid?

Maar *beperkte vragen*, waarin naar één specifiek element wordt geïnformeerd, terwijl al het overige zeker is:

> *Wie* heeft eergisteren de leeuwin geaaid? (Henk!)
> *Wie* (wat) heeft Henk eergisteren geaaid? (De leeuwin!)
> *Wanneer* heeft Henk de leeuwin geaaid? (Eergisteren!)

(In het laatste voorbeeld is het vraagwoord een *bijwoord*.)

Open vragen worden '*ja/nee-vragen*' genoemd, omdat het te verwachten antwoord 'ja' of 'nee' is. De beperkte vragen worden W-vragen genoemd, omdat de vraagwoorden, vragende voornaamwoorden en vragende bijwoorden, bijna allemaal met een w beginnen: 'wie?', 'wat?', 'welk?', 'waar?', 'wanneer?'. Maar: 'hoe?' Toch wordt ook een vraag die met het vraagwoord 'hoe' begint een W-vraag genoemd. Typisch taalkundig jargon. 'W-vraag' betekent dus eigenlijk 'vraagwoordvraag'.

Behalve rechtstreekse oftewel *directe* vragen kan een vragend voornaamwoord ook een indirecte vraag inleiden, of zelfs een zeer impliciete vraag.

> Hij vroeg *wie* daar klopte. (Hij vroeg: '*Wie* klopt daar?')
> Hij onthulde *wie* daar klopte. (Hij gaf daarmee antwoord op de onuitgesproken vraag: '*Wie* klopt daar?')
> Zij vertelde *wat* er gebeurd was. (Zij gaf daarmee antwoord op de onuitgesproken vraag: '*Wat* is er gebeurd?')
> Zij vertelde *welke* fouten ik maakte. (Zij gaf antwoord op de onuitgesproken vraag: '*Welke* fouten maak ik?')

De indirecte vragen maken hier deel uit van een *mededelende zin*. Het zijn gecompliceerde constructies vergeleken met directe vragen. De grammatische functie van 'wat', 'wie' en 'welk' is hier een stuk ingewikkelder dan in directe vragen. Toch spreekt de Nederlandse grammatica hier van een *vragend voornaamwoord*. Vragen is een vorm van spreken. Het vertellen en onthullen in de laatste groep voorbeelden is eveneens een spreekactiviteit. Als het vragend voornaamwoord afhankelijk is van zo'n spreekwerkwoord blijft het toch een vragend voornaamwoord heten.

Het betrekkelijk voornaamwoord (pronomen relativum)
Nóg implicieter en verborgener dan in de laatstgenoemde groep voorbeelden schuilt er een vraag in de volgende voorbeelden:

> *Wie* wegrent schiet hij neer.
> Zij drinkt *wat* ze lekker vindt.
> Hij verkoopt *welke* hij niet mooi vindt.

Als verborgen vragen zijn hier te beschouwen: 'Wie schiet hij neer?', 'Wat drinkt zij?' en 'Welke verkoopt hij?' De antwoorden luiden, gek genoeg: 'Wie wegrent!', resp. 'Wat ze lekker vindt!' en 'Welke hij niet mooi vindt!' In dit laatste rijtje voorbeelden staan geen *spreekwerkwoorden* als 'vragen' of 'vertellen', maar werkwoorden die op een handeling *buiten de taal* betrekking hebben, resp.: 'neerschieten', 'drinken' en 'verkopen'. Volgens de Nederlandse grammatica heten de voornaamwoorden daarom hier geen vragende voornaamwoorden meer, maar: *betrekkelijk voornaamwoord met ingesloten antecedent*. Ze kunnen vervangen worden door constructies als 'hij die' (of 'een man die', of 'ieder die'), resp. 'alles wat' (of 'de drank die') en door 'de schilderijen die'.

> *Ieder die* wegrent schiet hij neer.
> Zij drinkt *de drank die* ze lekker vindt.
> Hij verkoopt *de schilderijen die* hij niet mooi vindt.

In deze vervangende uitleggende zinnen heten 'ieder', 'de drank' en 'de schilderijen' het antecedent. Dat is letterlijk *het vooraf-gaande*. Het antecedent is hier expliciet aanwezig. Waar het antecedent naar verwijst, naar ieder, drank of de schilderijen, is hier niet stilzwijgend ingecalculeerd in het voornaamwoord, maar *gaat*, uitgedrukt in het antecedent, inderdaad expliciet aan het voornaamwoord ('die'), *vooraf*. Is er geen aanwijsbaar antecedent, maar is datgene waarnaar het verwijst stilzwijgend geïmpliceerd in het voornaamwoord ('*wie* wegrent', '*wat* ze lekker vindt', '*welke* hij niet mooi vindt'), dan is dat voornaamwoord dus een *betrekkelijk voornaamwoord met ingesloten antecedent*.

Hierna geef ik nog wat voorbeelden van op een aanwijsbaar antecedent volgende, dus gewone, betrekkelijke voornaamwoorden.

> De vrouw *die* bij u aanbelde woont naast ons.
> Het huis *dat* zij kochten is bouwvallig.
> De brieven *die* oom Daan had geschreven schokten ons.
> De documenten *welke* men verloren waande zijn terecht.

Het betrekkelijk voornaamwoord richt zich in grammaticaal geslacht naar het antecedent: 'die' na een 'de'-, 'dat' na een 'het'-antecedent.

In de volgende gevallen kunnen 'wie' en 'wat', evenals het plechtige 'hetwelk' en 'hetgeen', betrekkelijk voornaamwoord na een antecedent zijn:

1,   als het voornaamwoord volgt op een voorzetsel:

De man met *wie* niemand zich bemoeide vertrok teleurgesteld.

2,   als het antecedent 'alles' is, of 'iets', of 'niets':

Alles *wat* zij probeerden mislukte.
Niets *wat* daar gefluisterd werd heb ik verstaan.
Iets *wat* helemaal niet zeker is blijft buiten beschouwing.

3,   als het antecedent bestaat uit een mededeling:

We moesten lang wachten, *wat* (*hetgeen*, *hetwelk*) we vervelend vonden.

Het onbepaald voornaamwoord (pronomen indefinitum)
Het *onbepaald voornaamwoord* duidt een niet-geïdentificeerde persoon of een niet-geïdentificeerd verschijnsel aan.

Er heeft *iemand* opgebeld.
Hij heeft *iets* gevonden.
Men kan niet argwanend genoeg zijn.
Het regent.
Het is hier stil.

De onbepaalde voornaamwoorden hebben het element van 'ongeïdentificeerd' gemeen. Zij overlappen daarmee de *diversen* (p. 90). Evenals de *diversen*, op 'eigen' en 'zelf' na, kunnen de onbepaalde voornaamwoorden zelfstandig naar een ding verwijzen, net als een substantief(groep), maar zonder een soortelijke status uit te drukken:

Allen lachten.   De mensen lachten.

Men liep gewoon door.   Mijn zwager liep gewoon door.

'Zelf' is een merkwaardige uitzondering. Het treedt uitsluitend op in samenwerking met een substantief(groep) of een zelfstandig voornaamwoord, waar
het direct op kan volgen maar waarvan het ook verder verwijderd kan zijn,
zowel erna als ervoor. De betekenis bestaat in het extra accentueren van de
identiteit van een ding, aangeduid in de eerste, tweede of derde persoon enkel-
of meervoud:

> Ik doe dat *zelf*.
> Jij doet dat *zelf*.
> Hij doet dat *zelf*.
> Wij/jullie/zij doen dat *zelf*.
> *Zelf* kan ik dat niet.
> Het schilderij *zelf* is mooi, maar de lijst is lelijk.
> Ik heb niets aan een foto, de sollicitant moet *zelf* komen.
> Zijn opa had *zelf* een taart gebakken.

Op analoge wijze versterkt 'eigen' na een bezittelijk voornaamwoord de
nadruk op de identiteit van de 'bezitter' in welke *persoon* of welk *getal* dan
ook:

> Mijn/jouw/zijn/ons/jullie/hun *eigen* kind.

De klasse van onbepaalde voornaamwoorden is de minst consistente van de
voornaamwoordklassen. Een zwakke consistentie typeert ook de klasse der
voornaamwoorden als geheel. De klasse der persoonlijke voornaamwoorden
daarentegen is volstrekt homogeen, evenals die van de bezittelijke.

Het wederkerend voornaamwoord (pronomen reflexivum)
Van de wederkerende voornaamwoorden heeft er één een unieke vorm:
'zich'. 'Zich' kan ook maar één woordsoortfunctie vervullen, die van wederkerend voornaamwoord. 'Zich' is derde persoon enkelvoud en meervoud,
mannelijk en vrouwelijk:

> Hij wast *zich*.   Zij wassen *zich*.
> Zij wast *zich*.

Ook is gebruikelijk:	U wast *zich*.	Gij wast *zich*.
Daarnaast echter:	U wast *u*.	Gij wast *u*.

'U' is een afkorting van 'Uwe Edelheid' en dat is, net als 'Uwe Majesteit', een derde persoon. Vandaar dat 'zich'. Maar in de loop van de eeuwen zijn we dat 'u' als een tweede persoon gaan voelen, vandaar dat 'u'. Door dezelfde oorzaak treden nu 'u heeft' en 'u hebt' naast elkaar op.

Het wederkerende aspect van het wederkerend voornaamwoord bestaat hierin: het verwijst naar precies hetzelfde ding als waarnaar het eraan voorafgaande voornaamwoord verwijst. Het wederkerend voornaamwoord *keert weer* naar het ervóór reeds genoemde.

In de eerste en tweede persoon heeft het wederkerend voornaamwoord dezelfde vorm als niet-wederkerende voornaamwoorden in gelijke positie:

Ik was *me*.	Wij wassen *ons*.
Jij wast *je*.	Jullie wassen *je*.

Er zijn werkwoorden met een *verplicht* wederkerend voornaamwoord:

zich schamen	zich spoeden.
zich vergissen	

Het wederkerig voornaamwoord (pronomen reflexivum)
Het Nederlands kent één wederkerig voornaamwoord (met stijlvariant):

elkaar (elkander)

Het wederkerig voornaamwoord verwijst over en weer naar elk van de twee of meer tezamen genoemde dingen die zijn aangeduid door een meervoudige eerste, tweede of derde persoon.

Wij helpen elkaar.	Zij lijken op elkaar.
Jullie helpen elkaar.	

Het bepalingaankondigend voornaamwoord
Er zijn twee bepalingaankondigende voornaamwoorden (met varianten):

degeen (diegeen) degene (diegene)
hetgene (datgene)

Het is de enige woordsoort waarvan de naamgeving een beroep doet op een categorie uit de zinsontleding, namelijk een *bepaling*. Het bepalingaankondigend voornaamwoord komt niet voor zonder dat er een bijvoeglijke bepaling op volgt in de vorm van een *betrekkelijke bijzin* (p. 216, 217).

Degene *die iets te verbergen had* praatte het meest.
Datgene *wat onzichtbaar blijft* is het belangrijkste.

'Degene' kent ook een meervoud:

Degenen *die iets te verbergen hadden* praatten het meest.

Samengevat
De voornaamwoorden vormen een enigszins heterogene klasse. Wat hen bindt is hun vermogen dingen direct (zelfstandig) aan te duiden, dan wel indirect (bijvoeglijk) te determineren in de eerste, tweede of derde persoon. Er zijn negen duidelijke subklassen: persoonlijk, bezittelijk, aanwijzend, vragend, onbepaald, betrekkelijk, wederkerend, wederkerig en bepalingaankondigend voornaamwoord. En er is de minder duidelijke klasse van moeilijk plaatsbare diversen, die, uitgezonderd 'zelf' en 'eigen' in gedrag enigszins met het onbepaald voornaamwoord overeenkomen. Veel meer dan de naam 'voornaamwoord' zit er voor deze subklasse niet in. Het meest consistent zijn de persoonlijke, de bezittelijke en de aanwijzende voornaamwoorden.

Het werkwoord (verbum)

Het werkwoord is een gebeur-woord. Het drukt iets uit dat zich voltrekt. *In tijd.* In een split second, zoals een explosie ('De bom ontploft.'), of gedurende miljoenen jaren ('Het heelal dijt uit.'), of in een overzichtelijker tijdsduur tussen deze twee uitersten ('Anna weent.').

Het werkwoord wordt beheerst door een machtige regelmaat, waar allerlei oppervlakkige uitzonderingen nu eens niets aan af doen. Er is een overvloed aan systematisch te rangschikken werkwoordsvormen. De neutrale vorm waarin een werkwoord in het woordenboek staat vermeld is de infinitief of *onbepaalde wijs*, het 'hele werkwoord'. Iedere infinitief eindigt op een n. Bijna alle infinitieven eindigen op -en. Op een heel klein groepje na zijn de infinitieven twee- of meerlettergrepig.

lopen	zijn
zitten	zien
kijken	staan
hebben	gaan
drinken	slaan
bedanken	doen
fotograferen	
...	

Honderden zijn er. Ieder werkwoord heeft een aantal werkwoordsvormen:

lopen – gelopen – lopend – liep – loopt – liepen – lopen – loop – lope

Werkwoorden kunnen vervoegd worden. Van de ene *grammaticale persoon* in de andere:

ik loop – jij loopt – hij loopt

Van het ene *grammaticale getal* in het andere:

ik loop – wij lopen
jij loopt – jullie lopen
hij loopt – zij lopen

Van de ene *grammaticale tijd* in de andere:

zij lopen – zij liepen

Dit is van de *tegenwoordige tijd* naar de *verleden tijd*.

Samengestelde tijden
Werkwoorden kunnen met elkaar clusters vormen, waardoor een *grammaticale tijd* ontstaat. In zo'n cluster bevindt zich ten minste één *hulpwerkwoord* en één *hoofdwerkwoord*.

We hebben gelopen. ('hebben' hulpwerkwoord, 'gelopen' hoofdwerkwoord)
We gaan lopen. ('gaan' hulpwerkwoord, 'lopen' hoofdwerkwoord)
We zouden kunnen gaan lopen, ('zouden' 'kunnen' en 'gaan' hulpwerkwoorden, 'lopen' hoofdwerkwoord)

Het aantal werkwoorden dat een hulpwerkwoordfunctie kan vervullen is beperkt. De belangrijkste zijn:

hebben	willen
zijn	zullen
worden	komen
kunnen	gaan
mogen	blijven
moeten	

Een bekend gek voorbeeld van een cluster is:

Ik zou hem wel eens hebben willen zien zijn blijven staan kijken.

Een cluster met zeven infinitieven waarvan er zes elk een deels hulpwerk-woordelijke, deels hoofdwerkwoordelijke status hebben. 'Zou' is hier het hulpwerkwoord pur sang, en 'kijken' het hoofdwerkwoord pur sang. De infinitieven onderhouden specifieke betrekkingen met elkaar, met 'zou', met 'ik' en met 'hem'. In dit gecompliceerde geheel draait het om twee werkwoor-den: 'zien' en 'kijken'. Het geheel is een soort uitbouw van

Ik zie hem kijken.

Dat is op zijn beurt een vervlechting van twee mededelingen, namelijk:

'Ik zie.' en 'Hij kijkt.'

Het 'zie' hoort hier bij een *eerste persoon* en 'kijkt' bij een *derde persoon*. Deze vervoegde werkwoordsvormen heten dan ook een *persoonsvorm*.

Slechts van twee werkwoorden zijn de persoonsvormen van eerste, tweede én derde persoon enkelvoud verschillend:

ik ben – jij bent – hij is
ik heb – jij hebt – hij heeft

Dat zijn *onregelmatige* werkwoorden. 'Zijn' en 'hebben'. Zij hebben een belangrijke functie in de vorming van samengestelde werkwoordstijden:

ik kijk – ik *heb* gekeken
ik keek – ik *had* gekeken
ik kom – ik *ben* gekomen
ik kwam – ik *was* gekomen

'Hebben' en 'zijn' vormen tezamen met het *voltooid deelwoord* ('gekeken', 'gekomen') de *voltooide tijd*. De meeste werkwoorden worden vervoegd met 'hebben', enkele met 'zijn'. 'Hebben' en 'zijn' worden in deze functie *hulp-*

werkwoord van tijd genoemd. Het voltooid deelwoord is het *hoofdwerkwoord*. Het andere *hulpwerkwoord van tijd* is 'zullen'. Tezamen met een infinitief vormt het een *toekomende tijd*.

Ik *zal* kijken. (onvoltooid *tegenwoordig* toekomende tijd)
Ik *zou* kijken. (onvoltooid *verleden* toekomende tijd)

'Zullen' kan ook, in combinatie met het hulpwerkwoord 'hebben' of 'zijn', een *voltooid* toekomende tijd vormen:

Hij *zal* gekeken hebben. (voltooid *tegenwoordig* toekomende tijd)
Hij *zou* gekeken hebben. (voltooid *verleden* toekomende tijd)

Hij *zal* gekomen zijn. (voltooid *tegenwoordig* toekomende tijd)
Hij *zou* gekomen zijn. (voltooid *verleden* toekomende tijd)

'Hebben' en 'zijn' zijn hier de infinitieven en 'zal' en 'zou' zijn persoonsvormen. Ook mogelijk (met subtiel betekenisverschil) is:

Hij *heeft* zullen kijken. (*voltooid* tegenwoordig toekomende tijd)
Hij *had* zullen kijken. (*voltooid* verleden toekomende tijd)
Hij *heeft* zullen komen. (*voltooid* tegenwoordig toekomende tijd)
Hij *had* zullen komen. (*voltooid* verleden toekomende tijd)

Hier geeft het hulpwerkwoord 'hebben' het voltooidheidsaspect aan. Door de aanwezigheid van 'zullen' komt nu 'zijn' als hulpwerkwoord van tijd niet meer in aanmerking.

De *werkwoordstijden* en hun benamingen zijn, in schema, als volgt.

onvoltooid tegenwoordige tijd (ott)	voltooid tegenwoordige tijd (vtt)	onvoltooid verleden tijd (ovt)	voltooid verleden tijd (vvt)
hij kijkt	hij heeft gekeken	hij keek	hij had gekeken

onvoltooid tegenwoordig toekomende tijd (ottt)	voltooid tegenwoordig toekomende tijd (vttt)	onvoltooid verleden toekomende tijd (ovtt)	voltooid verleden toekomende tijd (vvtt)
hij zal kijken	hij zal gekeken hebben (hij heeft zullen kijken)	hij zou kijken	hij zou gekeken hebben (hij had zullen kijken)

De grammaticale tijd

De namen van deze 'tijden', inclusief de naam 'tijd' zelf, zijn nogal ongelukkig. Soms tegenstrijdig in zichzelf, zoals 'onvoltooid verleden'. Misleidend zijn de tegengestelde grammaticale termen 'tegenwoordig' en 'verleden', omdat zij suggereren dat het gaat om een zuiver lineaire opeenvolging van verleden en heden, terwijl er meer dan een simpele tijdslijn in het geding is. De grammaticale *tijd* derhalve drukt iets anders uit dan de lineair voortschrijdende tijd die we ervaren in het dagelijks leven. Dit lineaire aspect wordt uitgedrukt door de grammaticale tegenstelling 'voltooid' – 'onvoltooid'.

Zij plukt boterbloemen. (*onvoltooid* tegenwoordige tijd)
Zij heeft boterbloemen geplukt. (*voltooid* tegenwoordige tijd)

In de eerste zin is het plukken nog gaande. In de tweede zin is het plukken voorbij. Maar het voorbijzijn van het plukken duurt voort en volgt lineair op de plukfase. De grammaticale tegenstelling 'onvoltooid' – 'voltooid' betreft dus de zuivere tijdslijn. Maar de grammaticale tegenstelling 'tegenwoordig' – 'verleden' betreft *het al of niet zich bevinden in de werkelijkheid van het gebeuren, door de stilzwijgend veronderstelde spreker. In de 'tegenwoordige tijd' bevindt hij zich daarbinnen. In de 'verleden tijd' daarbuiten.*

Vader snoeit de heg.

Al lezend vereenzelvigen wij ons automatisch met die spreker. Daardoor betrekt deze zin ons meer in de gebeurtenis dan:

Vader snoeide de heg.

Betreft deze laatste zin een reëel verleden, dan wordt dat verleden niet weergegeven als een lineair aan het heden voorafgaand gebeuren, maar als een gebeuren waar we nu *buiten* staan. Het snoeien is gaande (onvoltooid) in een voorbije, dus nu *verbeelde* werkelijkheid. In de reële werkelijkheid van nu bestaat het niet; het duurt, maar in een andere werkelijkheid. Maar neem nu:

Vader heeft de heg gesnoeid.

Dit betrekt ons in het naadloos aansluitende vervolg op het snoeien van de heg. Kijken we naar:

Vader had de heg gesnoeid.

Hier wordt verteld dat het voorbij zijn van het snoeien zich afspeelt in een werkelijkheid waar we buiten staan.

Al of niet betrokken zijn, al of niet buitenstaander zijn, het gaat allemaal om iets anders dan alleen een lineair tijdsverloop. De tegenstelling 'tegenwoordig' – 'verleden' (*praesens* resp. *praeteritum*) duidt in de grammatica op de tegenstelling *spreker bevindt zich in de beschreven werkelijkheid* versus *spreker bevindt zich buiten de beschreven werkelijkheid*. Daar de lezer zich vereenzelvigt met de spreker en automatisch diens perspectief overneemt is 'spreker' hier inwisselbaar met 'lezer'. *De lezer wordt binnen de gepresenteerde werkelijkheid geplaatst* tegenover: *De lezer wordt buiten de gepresenteerde werkelijkheid geplaatst*. Vandaar de kinderfantasie 'Ik *was* de koning, jij *was* de lakei.' En onvervulbare voorwaarden: 'Als ik jou *was*...'. En onbereikbaar geworden situaties: 'O *was* ik maar bij moeder thuis gebleven!' Of zelfs irreële bevelachtige constructies: '*Had* maar op mij gestemd!'

In al die gevallen staat de persoonsvorm in de 'verleden tijd'. Niet een tijd die achter ons ligt, maar een werkelijkheid die ons buitensluit. Onbereikbaar, altijd onbereikbaar geweest en altijd onbereikbaar blijvend. We spreken hier van het *bereikbaarheidsaspect*.

Elke persoonsvorm is óf 'tegenwoordig' óf 'verleden', ongeacht of de persoonsvorm hulpwerkwoord is of het enige werkwoord. Het is de persoonsvorm die de bereikbaarheid van de beschreven werkelijkheid uitdrukt.

De werkwoordstijden, zoals in het schema op p. 107 aangegeven, zijn als volgt herkenbaar.

Het *toekomende* aspect is uitgedrukt in 'zullen' plus infinitief. Het *voltooide* aspect is uitgedrukt in 'hebben' of 'zijn' plus voltooid deelwoord. Het *onvoltooide* aspect is het ontbreken van deze hulpwerkwoorden. Het *bereikbaarheidsaspect* ('tegenwoordig' of 'verleden') is uitgedrukt in de persoonsvorm.

Modale hulpwerkwoorden en andere hulpwerkwoorden bij een infinitief
Net als het hulpwerkwoord van tijd 'zullen', kunnen de *hulpwerkwoorden van modaliteit* (modale hulpwerkwoorden) een werkwoordelijk cluster vormen met een infinitief of met meer infinitieven.

De modale hulpwerkwoorden zijn:

kunnen	Hij kan wandelen.
moeten	Hij moet wandelen.
mogen	Hij mag wandelen.
willen	Hij wil wandelen.

In de samengestelde niet-toekomende tijden gedragen de modale hulpwerkwoorden zich als 'zullen':

Hij zal (zou) wandelen/gewandeld hebben.
Hij kan (kon) wandelen/gewandeld hebben.
Hij mag (mocht) wandelen/gewandeld hebben.
Hij moet (moest) wandelen/gewandeld hebben.
Hij wil (wilde) wandelen/gewandeld hebben.

Hij heeft (had) zullen wandelen.
Hij heeft (had) kunnen wandelen.
Hij heeft (had) mogen wandelen.
Hij heeft (had) moeten wandelen.
Hij heeft (had) willen wandelen.

Maar in combinaties met 'zullen' gaat 'zullen' aan het modale hulpwerkwoord vooraf. Hierin ligt het vormelijke onderscheid tussen het hulpwerkwoord van tijd 'zullen' en de modale hulpwerkwoorden.

Hij zal kunnen tennissen.   *Hij kan zullen tennissen.

De modale hulpwerkwoorden kunnen ook gecombineerd *met elkaar* voorkomen.

Hij moet kunnen vluchten.   Hij wil mogen spijbelen.

Er zijn nog enkele andere werkwoorden die gecombineerd kunnen worden met een infinitief al of niet met behulp van 'te'.

Hij probeert te ontkomen.   Hij blijft liegen.
Hij gaat niezen.   Hij staat te wachten.

Hier noemen we de persoonsvorm 'hulpwerkwoord' zonder meer; 'te' wordt dan ingelijfd bij de infinitief.

Ten slotte noemen we nog enkele uitzonderlijke werkwoordelijke constructies, die geen afzonderlijke naam hebben. Ze bestaan uit een hulp- en een hoofdwerkwoord, meestal een infinitief, soms een voltooid deelwoord.

Hij is dansen.
Hij is aan het zeuren.
Hij sloeg aan het schelden.
Laten we ophouden.
Hij kwam aangehuppeld.
Hij kwam te vallen.
Ik zou een dag uit vissen.
(M. Nijhoff)

Allemaal voorbeelden die afzonderlijk onderzoek vergen.

De aantonende wijs (indicatief), de aanvoegende wijs (conjunctief) en de gebiedende wijs (imperatief)
Ons werkwoordelijk systeem kent drie *wijzen* zoals hierboven genoemd. De *aantonende wijs* komt verreweg het meest voor en heeft een neutraalfeitelijke strekking.

> Elizabeth schrijft haar naam.
> Bernd speelt piano.

De wijzen komen uitsluitend tot uitdrukking in de persoonsvorm. Alle tot nog toe behandelde voorbeelden met werkwoorden staan in de aantonende wijs. De aanvoegende wijs is plechtig van toon, wordt zelden gebruikt en heeft een wensende strekking.

> Bernd spele nog tientallen jaren piano!

De *aanvoegende wijs* is altijd derde persoon enkelvoud en staat in de tegenwoordige tijd, ware het niet dat hierop 'ware' een uitzondering vormt:

> o dat hij nooit geboren ware...
> o dat ik nooit geboren ware...

De gebiedende wijs treffen we aan in gebruiksaanwijzingen, affiches en dergelijke, en in gesproken taal. Zij heeft een bevelende of aansporende strekking.

> Geef mij de papieren! (enkelvoud)
> Ga gerust je gang! (enkelvoud)
> Komt allen tezamen! (meervoud, archaïsch)
> Verwijder het plastic. (enkelvoud)

De imperatief enkelvoud bestaat uit de *stam* van het werkwoord, dezelfde vorm als de persoonsvorm na 'ik'. De imperatief meervoud bestaat uit de stam plus 't'.

Sommige imperatiefvormen zijn kreetachtige uitingen geworden, ook wel verwensingen.

> *Kom*, ik stap eens op.
> *Kom* nou, dat meen je niet.
> *Stik!*
> *Barst!*
> *Kijk*, dáár beginnen we niet aan.
> Dat kan niet *hoor*!

De bedrijvende en de lijdende vorm
Mededelingen, wensen, bevelen of vragen die een vervoegd werkwoord bevatten staan óf in de bedrijvende vorm (*actief*) óf in de lijdende vorm (*passief*).

> Piet roept.

Dit is de *bedrijvende* vorm. De relatie tussen Piet en de roep-handeling is duidelijk: Piet verricht die handeling (*actief*).

> Piet wordt geroepen.

Dit is de lijdende vorm. Piet verricht de roephandeling niet, maar ondergaat die (*passief*). *De aard van de handeling is niet uitgedrukt in de persoonsvorm, maar in het voltooid deelwoord*: 'geroepen'. De lijdende vorm kan niet zonder een hulpwerkwoord. Dat is het hulpwerkwoord 'worden'.

> Hanna *wordt* gekozen (door de directie).
> Hanna *werd* gekozen (door de directie).
> Hanna zal/zou gekozen *worden* (door de directie).

In de voltooide tijden is dat het hulpwerkwoord 'zijn':

> Hanna *is* gekozen.
> Hanna *was* gekozen.
> Hanna zal/zou gekozen *zijn*.

Een lijdende vorm correspondeert altijd met een bedrijvende vorm:

> Piet wordt gegroet door de wethouder. – De wethouder groet Piet.
> Piet werd gegroet door de wethouder. – De wethouder groette Piet.
> Piet zal gegroet worden door de wethouder. – De wethouder zal Piet groeten.
> Piet zou gegroet worden door de wethouder. – De wethouder zou Piet groeten.

Maar lang niet altijd is er een corresponderende lijdende vorm voor een bedrijvende vorm. Want lang niet alle werkwoorden laten een passief toe.

> *Wim wordt gezwommen.
> *De lepel wordt gevallen.
> *De Russen worden gekomen.

Hulpwerkwoord en zelfstandig werkwoord
Naast die van de *hulpwerkwoorden* is er de klasse van de *zelfstandige werkwoorden*. Hiertoe behoren: 'bouwen', 'groeten', 'roepen', 'kiezen', 'hoesten', 'struikelen', 'beminnen' enzovoorts.

Uiteraard moeten we ook hier onderscheid maken tussen *klassenfunctie* en *vervulde functie*. In 'Hij heeft zeven zusters.' is 'heeft' een zelfstandig werkwoord en geen hulpwerkwoord.

De kwalificatie 'hoofdwerkwoord' betreft alleen de vervulde functie van een werkwoord dat gecombineerd is met een hulpwerkwoord. De hoofdwerkwoorden vormen dus geen klasse.

> Wiebe wil zingen.

Hierin is 'wil' hulpwerkwoord en 'zingen' hoofdwerkwoord. 'Zingen' is bovendien zelfstandig werkwoord. Maar in:

> Wiebe zingt.

is het begrip hoofdwerkwoord niet van toepassing, bij gebrek aan een hulpwerkwoord.

In een werkwoordelijk cluster is een zelfstandig werkwoord altijd het hoofdwerkwoord, maar niet ieder hoofdwerkwoord is een zelfstandig werkwoord. Het hoofdwerkwoord kan ook *koppelwerkwoord* zijn (zie volgende paragraaf). In een cluster staat altijd een hulpwerkwoord (de persoonsvorm) én een hoofdwerkwoord (infinitief of voltooid deelwoord).

Er zijn gradaties.

Hij zal kunnen werken.

Hierin is 'zal' in de hoogste mate hulpwerkwoord, 'kunnen' is hulpwerkwoord ten opzichte van 'werken', maar toch hoofdwerkwoordachtig ten opzichte van 'zal'. 'Werken' is uitsluitend hoofdwerkwoord.

Heeft het hoofdwerkwoord de vorm van een infinitief, dan is het daarin uitgedrukte gebeuren (nog) geen definitief feit, uitgezonderd gevallen met 'staan', 'zitten', 'liggen', 'lopen' of 'hangen' als hulpwerkwoord:

Hij wil (moet, gaat enzovoorts) schreeuwen.
Hij staat (zit, loopt enzovoorts) te schreeuwen.

Heeft het hoofdwerkwoord de vorm van een voltooid deelwoord en is het hulpwerkwoord 'hebben' of 'zijn', dan is het in het voltooid deelwoord uitgedrukte gebeuren een voorbij feit:

Hij heeft afgewassen.
Hij is gekomen.
Hij is gevangen genomen.

Heeft het hoofdwerkwoord de vorm van een voltooid deelwoord en is het hulpwerkwoord 'worden', dan is het in het voltooid deelwoord uitgedrukte gebeuren nog niet voorbij.

Het koppelwerkwoord
Naast de zelfstandige werkwoorden en de hulpwerkwoorden is er de klasse van de *koppelwerkwoorden*. Het klassieke grammaticarijtje is:

zijn	schijnen
worden	dunken
blijken	heten
blijven	vóórkomen
lijken	

Dat is niet zomaar een rijtje. Een gemeenschappelijk kenmerk van deze werkwoorden is dat ze, in een meervoudspersoonsvorm, kunnen worden gecombineerd met 'dat' of 'dit' of 'het' in een constructie van het volgende type:

> *Dat zijn* kooplieden.
> *Dit worden* muurschilderingen.
> *Dat bleken* reusachtige fouten.
> *Het blijven* sukkels.
> *Het lijken* wel spoken!
> *Het schijnen* hulpvaardige mensen. (Maar het zíjn oplichters.)
> *Dat heten* nu hulpverleners!
> *Het dunken* ons eerder zeehelden.
> *Het komen* me heiligen voor. (archaïsch)

Geen enkel ander werkwoord is tot deze merkwaardige constructie in staat. Koppelwerkwoorden zijn, net als zelfstandige werkwoorden, in combinatie met een hulpwerkwoord hoofdwerkwoord. De betekenis en andere bijzonderheden van de koppelwerkwoorden komen aan de orde op p. 170.

Zwakke en sterke werkwoorden

De grammatica onderscheidt *zwakke werkwoorden* en *sterke werkwoorden*. Het is een *vormelijk* onderscheid, dat de vervoeging in de verleden tijd en de vorming van het voltooid deelwoord betreft. 'Kijken', 'lopen' en 'vliegen' zijn voorbeelden van sterke werkwoorden:

> kijken – keek – gekeken
> lopen – liep – gelopen

Er is sprake van klinkerwisseling ('*kijken*' – '*keek*') en het voltooid deelwoord eindigt op -en.

De zwakke werkwoorden vormen hun verleden tijd door middel van de uitgang '-de' of '-te' achter de *stam* en hun voltooid deelwoord eindigt op '-d' resp. '-t'. Zwak zijn dus werkwoorden als:

> plaatsen – plaatste – geplaatst
> studeren – studeerde – gestudeerd

De *stam* van het werkwoord is wat je overhoudt als je -en (of -n, zie p. 111) van de infinitief afhaalt; dat is ook de eerste persoon enkelvoud. Eindigt de stam van een zwak werkwoord op een medeklinker die voorkomt in '*t kofschip*' (dus op een 't', 'k', 'f', 's', 'ch' of 'p'), dan komt er een 't'-uitgang. Is het een andere medeklinker, of een klinker, dan komt er een 'd'-uitgang. (Enkele spellingtechnische aanpassingen zijn onvermijdelijk.)

> boeten – boette – geboet
> waken – waakte – gewaakt
> blaffen – blafte – geblaft
> plassen – plaste – geplast
> pochen – pochte – gepocht
> kapen – kaapte – gekaapt
>
> leven – leefde – geleefd
> bonzen – bonsde – gebonsd
> kruien – kruide – gekruid
> echoën – echode – geëchood

Sommige werkwoorden zijn gemengd zwak en sterk:

> lachen – lachte – gelachen
> brengen – bracht – gebracht

Ons alleronregelmatigste werkwoord is 'zijn'. Niet alleen heeft het zeer uiteenlopende persoonsvormen, maar ook is het het enige werkwoord met twee verschillende infinitieven:

Het zal wel waar *wezen*.

Op deze plaats had ook 'zijn' kunnen staan. Maar in:

Hij is wezen varen. (de voltooide tijd van 'Hij is varen.')

is 'wezen' de enig mogelijke infinitief. Het werkwoord 'zijn' heeft verder een van 'wezen' afgeleide imperatief en een van 'wezen' afgeleid voltooid deelwoord:

Wees vrolijk!
Hij is vrolijk geweest.

De koppelwerkwoorden en de hulpwerkwoorden van tijd en van de lijdende vorm zijn óf onregelmatig óf sterk. 'Heten' is als uitzondering zwak-sterk.

Overgankelijke en onovergankelijke werkwoorden
Een onderscheid van geheel andere orde dan die van sterke en zwakke werkwoorden is die van *overgankelijke (transitieve)* en *onovergankelijke (intransitieve) werkwoorden*. Zij onderscheiden zich van elkaar doordat ze wel of niet 'iets' of 'iemand' verdragen. Bij overgankelijkheid gaat het om een semantische eigenschap, niet om een vormelijke eigenschap, zoals bij de zwakke en sterke werkwoorden.

Overgankelijk:
horen (Hij hoort iets.)
zien (Hij ziet iets.)
waarschuwen (Hij waarschuwt iemand.)

Onovergankelijk:
komen (*Hij komt iets.)
vallen (*Hij valt iets.)
zitten (*Hij zit iets.)

Overgankelijke werkwoorden laten meestal een lijdende vorm toe.

Hij wordt gezien.

Onovergankelijke niet:

*Hij wordt gestruikeld.

De lijdende vorm eist een overgankelijk werkwoord.
De koppelwerkwoorden zijn onovergankelijk. (Zie voor nadere toelichting p. 168-171.)

Samengevat

Werkwoorden noemen, afzonderlijk of in vereniging, een gebeuren in zijn durende aspect; de persoonsvorm drukt bovendien iets uit over de verhouding tussen de werkelijkheid van het gebeuren en die van de spreker en dus van de lezer.

De belangrijkste subklassen van het werkwoord zijn: zelfstandige werkwoorden ('bouwen', 'wandelen' ...), hulpwerkwoorden ('hebben', 'zijn', 'zullen', 'willen' ...) en koppelwerkwoorden ('zijn', 'worden', 'blijken' ...).

Alle werkwoorden kennen persoonsvormen: 'ik *loop*' – 'jij *loopt*' – 'hij *loopt*' – 'wij/jullie/zij *lopen*. De persoonsvorm van welk werkwoord dan ook staat hetzij in de 'tegenwoordige' hetzij in de 'verleden tijd' ('loop' – 'liep'; 'is' – 'was'.)

Elk werkwoord heeft een infinitief ('lopen'), een onvoltooid deelwoord ('lopend'), een voltooid deelwoord ('gelopen') en een stam ('loop'). Het onvoltooid deelwoord maakt geen deel uit van het systeem van de werkwoordstijden. Zijn functie lijkt op die van het bijvoeglijke naamwoord. De werkwoorden kunnen in samengestelde tijden (werkwoordclusters) voorkomen. De hulpwerkwoorden van tijd 'hebben' en 'zijn' worden gecombineerd met het voltooid deelwoord. Tezamen daarmee vormen ze een voltooide tijd ('Hij heeft gevochten.') Het hulpwerkwoord 'worden' hoort bij een voltooid deelwoord en constitueert tezamen daarmee de *lijdende vorm*. Het hulpwerkwoord van tijd 'zullen' en de modale hulpwerkwoorden ('kunnen', 'willen' enz.) worden gecombineerd met een infinitief. 'Zullen' vormt tezamen met de infinitief een toekomende tijd ('Hij zal vertrekken.'). Ook zijn er combinaties zoals de voltooid tegenwoordig toekomende tijd: 'Hij zal gevochten hebben.' of, met subtiel betekenisverschil: 'Hij heeft zullen vechten.'

De termen 'voltooide tijd' en 'onvoltooide tijd' betreffen een lineair tijdsverloop. De termen 'tegenwoordig' en 'verleden' betreffen de verhouding tussen de werkelijkheid van het gebeuren en die van de spreker (en de zich met hem vereenzelvigende lezer).

Andere belangrijke onderscheidingen met betrekking tot het werkwoord zijn:

1. *De drie 'wijzen'*
    a. Aantonende wijs: 'Bernd speelt piano.'
    b. Aanvoegende wijs: 'Bernd spele piano.'
    c. Gebiedende wijs: 'Bernd! Speel piano!'

2. *Overgankelijke en onovergankelijke werkwoorden*
    Overgankelijk: 'drinken' (Hij drinkt iets'.)
    Onovergankelijk: 'komen' (*Hij komt iets.)

3. *De twee 'vormen'*
    Bedrijvende vorm: Piet roept.
    Lijdende vorm: Piet wordt geroepen.

Voor de lijdende vorm is een overgankelijk werkwoord noodzakelijk. Het, eveneens noodzakelijke, hulpwerkwoord van de lijdende vorm is 'worden' in de onvoltooide en 'zijn' in de voltooide tijden. Voor sommige ónovergankelijke werkwoorden is 'zijn' het hulpwerkwoord van tijd: 'Hij is gekomen.' Er zijn, bij wijze van uitzondering, twee overgankelijke werkwoorden die in de bedrijvende vorm óók met 'zijn' kunnen worden vervoegd: 'Hij heeft/is iets verloren.' en 'Hij heeft/is iets vergeten.'

Koppelwerkwoorden zijn niet overgankelijk en kunnen dus niet in een lijdende vorm voorkomen.

4. *Zwakke en sterke werkwoorden*
    Zwak: plaatsen – plaatste – geplaatst (klinker blijft gelijk)
    Sterk: nemen – nam – genomen (klinker verandert)

Het bijwoord (adverbium)

Het bijwoord is geen toonbeeld van orde en regelmaat, maar niettemin een herkenbare woordsoort. Zelden maakt het op een vaste plaats deel uit van een woordgroep. Het duikt op in verschillende posities:

> *Gisteren* heb ik de kleine bonte specht gezien.
> Ik heb *gisteren* de kleine bonte specht gezien.
> Ik heb de kleine bonte specht *gisteren* gezien.
> Ik heb de kleine bonte specht gezien *gisteren*.
> *Hier* is het rustig.
> Het is *hier* rustig.
> Het is rustig *hier*.

Plaats- en tijdaanduidende woorden zoals 'hier', 'gisteren', 'daar', 'ergens', 'overal', 'vandaag', 'nu', 'morgen', 'toen' enzovoorts zijn, evenals hun ontkenning, zoals 'nergens', bijwoorden. Er is ook een groepje evenmin plaatsvaste bijwoorden die iets uitdrukken over het waarheidsgehalte van de mededeling, zoals 'misschien', 'waarschijnlijk', 'wellicht', 'bijna'.

> Hij is bijna gevallen.
> Hij is misschien gevallen.

Het radicaalste bijwoord van deze strekking is 'niet'. Dat elimineert de waarheid. Het vaagt het door de mededeling opgeroepen beeld weg. Het beeld wordt verNIETigd.

De ontkenning, kaal en uitgesproken in 'niet', hecht zich in de vorm van een 'n' aan sommige bijwoorden: 'nooit', 'nergens'. (Hetzelfde doet zich voor bij de voornaamwoorden 'niets' en 'niemand'. Een lidwoordachtige ontkenning is 'geen'.)

Sommige bijwoorden drukken een oordeel over het gebeurde uit:

Helaas begon de klok te luiden.
Gelukkig begon de klok te luiden.

Het is het oordeel, de reactie van de stilzwijgend veronderstelde spreker.

Eén type bijwoord besprak ik al (p. 73): dat met de uitgang '-jes'. Het is afgeleid van een bijvoeglijk naamwoord: 'zachtjes', 'kalmpjes', 'stilletjes'. Deze bijwoorden specificeren het gebeuren dat is uitgedrukt in het (hoofd)werkwoord, de wijze waarop dat gebeuren zich voltrekt.

Hij lachte *zachtjes*.   *Stilletjes* liep zij weg.

Een bijvoeglijk naamwoord kan ook (onverbogen) de bijwoord-functie vervullen (zie p. 72):

Hij huilde *luid*.   Zij zwemt *snel*.

De bijwoorden nuanceren het meegedeelde in verscheiden opzichten: plaats, tijd, wijze, waarheidsgehalte of subjectief commentaar. Die aspecten kunnen ook allemaal tegelijk optreden:

Gelukkig kan hij *hier morgen misschien weer luid* komen voorlezen.

De plaats van deze bijwoorden is veranderlijk:

Morgen kan hij *misschien weer luid hier* komen voorlezen *gelukkig*.

De grammatica onderscheidt ook nog het *bijwoord van graad*, zoals 'erg', 'zeer', 'nogal', enzovoorts.

Het spijt me *zeer*.   Hij schrok *nogal*.
Hij bibberde *erg*.

Het gebeuren wordt hier gegradueerd. Maar ook in de volgende gevallen spreekt de grammatica van een bijwoord van graad:

> Hij ontmoette een *zeer* rijk meisje.
> Ze kwam *tamelijk* vlug naderbij.

Hier maakt het bijwoord bij wijze van uitzondering deel uit van een woordgroep. Het gradueert uitsluitend de hoedanigheid die is uitgedrukt door het bijvoeglijk naamwoord (al of niet in bijwoordfunctie) en aan zijn plaats valt niet te tornen: die is onmiddellijk vóór dat bijvoeglijk naamwoord. Een andere uitzondering: in 'die man daar' en 'jij daar' maakt het bijwoord ook deel uit van een woordgroep en het is dan eveneens onverplaatsbaar.

Eveneens onverplaatsbaar zijn de *vragende bijwoorden*, zoals 'waar', 'wanneer' en 'hoe'. Deze betreffen plaats, tijd en wijze. Net als de vragende voornaamwoorden staan zij aan het begin van een vraag:

> *Waar* dansen zij?
> *Wanneer* begint de vakantie?
> *Hoe* verplaatsen ze het orgel?

Ten slotte is er het unieke bijwoord 'er'. Als neutraal openingswoord is het zo onopvallend dat het zich bijna aan onze waarneming onttrekt. Het doet niets anders dan het gebeuren situeren. 'Er' betreft, zij het met de grootst denkbare marge, een bekende ruimte. Dicht bij huis:

> *Er* belt iemand aan.

Of ver weg in het al of niet begrensde heelal:

> *Er* was eens een komeet.

Het bijwoord 'er' kan ook een vaag of een precies aantal begeleiden en verwijst dan indirect naar de soort waaronder de exemplaren van genoemd aantal vallen:

> Hij heeft *er* vier. (namelijk honden)
> Hij heeft *er* veel. (namelijk leerlingen)

Dit 'er' vertoont enige overeenkomst met het *voornaamwoordelijk bijwoord*, doordat het een afkorting lijkt van 'ervan': 'Hij heeft er vier van.' Het voornaamwoordelijk bijwoord echter kan het best beschreven worden in samenhang met het *voorzetsel*, dat in het volgende hoofdstuk aan de orde komt.

Samengevat

Bijwoorden kunnen een meegedeelde gebeurtenis specificeren in onder andere plaats ('daar', 'vooraan'), tijd ('vanavond', 'nu') en wijze ('zo', 'stilletjes'). Ook kunnen ze het waarheidsgehalte van de mededeling nuanceren ('misschien', 'waarschijnlijk') en subjectief commentaar op de gebeurtenis uitdrukken ('helaas', 'gelukkig'). Ze maken geen deel uit van een woordgroep en zijn dan ook gemakkelijk verplaatsbaar. Een uitzondering hierop is het bijwoord van graad binnen een woordgroep, dat plaatsvast is ('een *zeer* stug mannetje), 'daar' en 'hier' in substantief- en voornaamwoordsgroepen ('die boom *daar*', 'hij *daar*') en de vragende bijwoorden ('wanneer' enz.), ook die zijn onverplaatsbaar. Sommige bijwoorden zijn afgeleid van een bijvoeglijk naamwoord ('zachtjes', 'losjes'). De bijwoordelijke functie kán vervuld worden door een bijvoeglijk naamwoord. Het specificeert dan de wijze waarop ('hij danst *mooi*').

Het voorzetsel (prepositie)

De klasse van voorzetsels is klein, de voorzetsels zelf zijn klein en hun actieradius is ook klein. In hun kenmerkende grammatische functie staan ze vóór een zelfstandig voornaamwoord of een substantief(groep). Daar zijn ze *vóór gezet*. Daaraan danken ze hun naam. De enige woordsoortnaam die uitsluitend is ontleend aan zijn plaats, een strikt *vormelijk* kenmerk. De andere woordsoortnamen drukken ook iets van de woordsoortbetekenis uit. Voorbeelden:

> *op* de divan   *na* mij
> *in* een kring   *voor* Wim
> *bij* ons

Een persoonlijk voornaamwoord na een voorzetsel staat in de objectsvorm:

> bij *ons* (*bij wij)
> na *mij* (*na ik)
> achter *hem* (*achter hij)

Een substantief (groep) na een voorzetsel verschilt niet van een substantief (groep) zonder voorzetsel en kan variëren van één substantief ('met suiker', 'zonder handen') tot een uitgebreide groep:

> Naast *onze zeer oude altijd sombere Spaanse overbuurman* woont een zonderlinge actrice.

Er zijn ruim dertig voorzetsels, voor het grootste deel overbekende kleine woordjes zoals:

voor	onder
na	naast
achter	bij
in	met
uit	...
op	

De meeste houden een ruimtelijke aanwijzing in, maar enkele kunnen als tijds-aanwijzing fungeren:

op die dag   *in* dat jaar

Sommige voorzetsels hebben een rechtstreekse tegenhanger:

in – uit	voor – achter
voor – tegen	voor – na

'Voor' is een homoniem. We onderscheiden de plaats- ('Hij staat voor het huis.'), de tijds- ('vóór donderdag') en de bestemmingsbetekenis ('een cadeautje voor Annie'). En dan is er nog de gezindsheidsbetekenis: 'Zij stemden vóór onafhankelijkheid.'

Exclusieve tijdsvoorzetsels zijn zeldzaam: 'na 1922'. Ook in 'na de pudding' gaat het om een tijdsaanduiding, al is een pudding geen tijdseenheid. Hetzelfde geldt voor 'tijdens de pudding'.

Samen met een zelfstandig voornaamwoord of een substantief(groep) vormt een voorzetsel een nieuwe eenheid, wéér een woordgroep, een *voorzetselgroep*. Daarbinnen wordt, na het voorzetsel, een ding genoemd.

De kat slaapt *in zijn mand.*
Naast het paard strompelde zij voort.
Hij roddelde *over zijn lerares.*

De voorzetselgroep legt een ruimtelijk, een tijdelijk of een ander verband tussen dat ding en een gebeuren, zoals in de bovenstaande voorbeelden: tussen het slapen van de kat en zijn mand, tussen haar strompelen en het paard, tussen zijn roddelen en zijn lerares.

Óf de voorzetselgroep legt zo'n verband tussen een ding en een ander ding:

> een kat op een heet zinken dak
> de moeder van mijn vriend
> een boterham met kaas

De grammatische functie van een voorzetselgroep is: een gebeuren of een ding, genoemd búiten de groep, in verband brengen met een ding, genoemd bínnen de groep. De voorzetselgroep specificeert het daarbuiten genoemde gebeuren of ding. En niet omgekeerd. Dat wordt pas goed duidelijk als je de geijkte volgorde omkeert: een kind dat met een reusachtige tas sleept is een kind met een tas, maar een grappenmaker zegt 'een tas met een kind'. Zonder grappenmaker is 'een tas met een kind' een te vondeling gelegde pasgeborene in een tas.

De voorzetselgroep specificeert. Het voorzetsel zelf preciseert de aard van het verband tussen de twee dingen, of tussen het gebeuren en het ding.

> De spin holt over de muur.

Soms is die precisering heel vaag:

> Hij wacht op zijn collega.
> Opa spreekt over de oorlog.

Van precisering is dan eigenlijk geen sprake. De voorzetselgroep legt een specificerend verband, maar de aard van dat verband ligt al zo goed als vast door de betekenis van het werkwoord. Het voorzetsel hoort daar min of meer standaard bij, het is een 'vast voorzetsel' (zie p. 185-189): 'wachten op', 'spreken over'.

Het voorzetsel is – getrouw aan zijn naam – zeer plaatsvast. Toch valt het soms uit zijn rol en wordt *achterzetsel*:

Hij loopt op de trap. Hij loopt de trap op.
Hij loopt in de kamer. Hij loopt de kamer in.
Hij kwam uit de kamer. Hij kwam de kamer uit.

Voor zo'n achterzetting is een bewegingswerkwoord nodig: 'lopen', 'gaan', 'zwemmen'. Volgens de grammatica is het voorzetsel nu bijwoord. Het is nu dan ook niet zo groepsgebonden als een voorzetsel-in-functie en heeft een hechtere band met het werkwoord, waarmee het aaneengespeld kan, ja *moet* worden, en het gaat dan aan het werkwoord vooraf.

Hij huppelde het huis uit. Hij is het huis *uitgehuppeld*.

Terecht wordt een achterzetsel geworden voorzetsel dus een bijwoord genoemd: ook een bijwoord maakt geen deel uit van een woordgroep en is soms tot samensmelting met een werkwoord in staat: '*omhoog*wijzen', '*terug*sturen'.

Het voorzetsel 'van', in de scheidende betekenis, heeft een achterzetsel-pendant met een andere vorm: 'af':

Hij viel van de trap.
Hij viel de trap *af*.
Hij viel van de trap *af*.

Zo kennen we ook:

Hij ging met zijn vriend *mee*.
Hij ging uit de stad *vandaan*.
Hij ging naar het dorp *toe*.

Zo'n voorzetsel kan dus, binnen één constructie, tezamen met zijn anders gevormd bijwoordelijk pendant functioneren. Deze uitzonderlijke mogelijkheid geldt ook voor 'tot ... toe'. Kees van Kooten spreekt zelfs van 'naar Delft heen'.

Het voornaamwoordelijk bijwoord. Een geperverteerde voorzetselconstructie

Kenmerkend voor de woordsoort voorzetsel is, ten slotte, een wonderlijke verstrengeling van voorzetsel en bijwoord, waarin ook nog het voornaamwoord is betrokken. Een soort vermenging en omkering die in de grammatica is gehonoreerd met een erkende mengwoordsoort, een woordsoortfusie: het *voornaamwoordelijk bijwoord*. Het voorzetsel is hierbij onontbeerlijk, al komt dat in de term niet tot uitdrukking. Het voornaamwoordelijk bijwoord hoort uitsluitend bij zelfstandige voornaamwoorden die naar een niet-menselijk ding verwijzen. Bij menselijke dingen (en ook bij de 'hogere' dieren) gebeurt het volgende.

Hij woont naast de burgemeester. Hij woont *naast hem*.

Bij een niet-menselijk ding gaat het anders:

Hij woont naast de ambtswoning. Hij woont *ernaast*.
Ik zag een mooi tafeltje. *Daarachter* stond een bank.
We betreden nu de spiegelzaal. *Hierin* hangen mooie kronen.

'Ernaast', 'daarachter', 'hierin' en niet: *naast het, *achter dat, *in dit.

We zien, er gebeurt hier iets ingewikkelds: het te verwachten voornaamwoord, 'dat', wordt vervangen door 'daar', 'dit' door 'hier' en 'het' door 'er' en het betreffende voorzetsel wordt achter 'daar', 'hier' en 'er' geplaatst. 'Ernaast', 'daarachter', 'hierin' worden elk in hun geheel *voornaamwoordelijk bijwoord* genoemd. De bijwoorden 'er', 'daar' en 'hier' vervullen onder invloed van het achtergezette voorzetsel wel degelijk de verwijzingsfunctie van de voornaamwoorden 'het', 'dat' en 'hier'. Eigenaardig is dat bijwoord en voorzetsel gescheiden kunnen optreden:

Wij wonen *daar* al jaren *naast*.
Zulke schroefjes zitten *hier* nu eenmaal *in*.
Ik kan *er*, al ga ik op een stoel staan, niet *bij*.

De losse bijwoorden zijn nu de voornaamwoordelijke bijwoorden in strikte zin. De losgeraakte voorzetsels zou je bijwoordelijke voorzetsels kunnen noemen, maar de grammatica voorziet niet in deze afzonderlijke categorie. Het voornaamwoordelijk bijwoord is kleinerend als het op een mens wordt toegepast:

> Hij ging met zijn vader naar het ziekenhuis.
> *Hij ging *ermee* naar het ziekenhuis.

'Ermee' laten verwijzen naar je oude vader is onbeleefd. Maar van een pasgeborene zeggen 'Ze snelden *ermee* naar de couveuse.' kan eigenlijk best.

Ook 'ergens' en 'nergens' doen mee met de voornaamwoordelijke bijwoorden, evenals 'overal':

> Hij wijst *ergens* naar (naar iets).
> Hij hoort *nergens* bij (bij niets).
> Hij let *overal* op (op alles).

Alleen is hier zoals we zien vervanging door het gewone voornaamwoord wel toegestaan. De combinatie wordt niet aaneengeschreven:

> *ergensnaar
> *nergensbij
> *overalop

Als een voorzetsel een andersgevormd bijwoordelijk pendant heeft, wordt met dat pendant het voornaamwoordelijk bijwoord gevormd:

> Hij viel van de tafel. Hij viel *eraf*.
> Hij sloeg met een hamer. Hij sloeg *ermee*.
> Hij kwam tot de daad. Hij kwam *ertoe*.

Uitzonderlijke voorzetsels en uitzonderlijke bijwoordelijke aanvullingen
De klasse van de voorzetsels bevat nog enkele andere woorden dan de tot nu toe genoemde:

ondanks	niettegenstaande
dankzij	gedurende

Ook zij leggen, voorafgaand aan en tezamen met een substantief(groep) of een zelfstandig voornaamwoord, een verband tussen een gebeuren en het in de voorzetselgroep genoemde ding, of ook wel tussen twee dingen. Maar ze kunnen geen voornaamwoordelijk bijwoord helpen vormen:

> ondanks dit – *hierondanks
> niettegenstaande dat – *daarniettegenstaande

Een ander uitzonderlijk voorzetselverschijnsel doet zich voor bij 'te':

> te Amsterdam – *te onze stad
> te Berlijn – *te de hoofdstad van Duitsland

'Te' verdraagt alleen een eigennaam van dorp of stad en is dan synoniem met 'in'.

'Tussen', ten slotte, is in zoverre bijzonder dat het de verwijzing naar twee of meer dingen behoeft:

> tussen *Keulen en Parijs* ...
> tussen *droom en daad* ...
> tussen *al die kantoorgebouwen* ...

Een bijwoordelijke aanvulling van 'tussen' is 'in' of 'door':

> tussen de huizen in   tussen de huizen door

Hier verschuilen zich nog enkele subtiliteiten waarvan ik zonder commentaar voorbeelden geef:

> Hij liep tussen de huizen door.   Hij stond tussen de huizen in.
> Hij liep tussen de huizen in.   *Hij stond tussen de huizen door.

Ondanks de aangestipte uitzonderingen is het voorzetsel een gemakkelijk te herkennen woordsoort.

Samengevat

De voorzetsels vormen een gesloten klasse van overwegend kleine woordjes: 'op', 'in', 'uit', 'met', 'van' enzovoorts. In functie staan ze vóór een substantief(groep), eigennaam of zelfstandig voornaamwoord. Tezamen daarmee vormt een voorzetsel een *voorzetselgroep*. In zijn geheel specificeert de voorzetselgroep een buiten die groep genoemd gebeuren of ding: 'De hond lag *op de stoep*.' 'De hond *op de stoep* viel me op.' Het voorzetsel zelf preciseert de aard van het specificerend verband: 'Hij woont achter (vóór, bij, naast) de kerk.' Soms is die precisering vaag of nihil: 'Hij praat over de oorlog.' 'Hij wacht op de vrede.' Het voorzetsel hoort dan bij het werkwoord ('vast voorzetsel'): 'praten over', 'wachten op'.

Enkele voorzetsels hebben een bijwoordelijk pendant van een àndere vorm: 'van ... af', 'met ... mee', 'naar ... toe'. Sommige voorzetsels kunnen in bijwoordelijke functie en met behoud van hun vorm een achterzetsel worden: 'Hij loopt de kamer in.'

Bij verwijzing naar niet-menselijke dingen doet zich het verschijnsel *voornaamwoordelijk bijwoord* voor: 'Hij wacht op de foto.' – 'Hij wacht *erop*.' Het voornaamwoordelijk bijwoord is scheidbaar: 'Hij wacht *er* al een jaar *op*.' Er zijn ook lange voorzetsels: 'niettegenstaande', 'gedurende' o.a. Zij kunnen geen voornaamwoordelijk bijwoord helpen vormen: *Hierniettegenstaande, *daargedurende.

Behoudens de voornaamwoordelijke bijwoorden en de bijwoordelijke achterzetsels is het voorzetsel een plaatsvaste en goed herkenbare woordsoort.

Het voegwoord (conjunctie)

De voegwoorden zijn onderverdeeld in *nevenschikkende* en *onderschikkende* voegwoorden. De nevenschikkende zijn:

en	maar
doch	want
noch	of

Een handzaam rijtje om van buiten te leren.

De onderschikkende voegwoorden zijn: 'dat', 'of', 'tot', 'omdat', 'hoewel' en nog een bescheiden aantal andere woorden. Ze lenen zich slecht tot een rijtje, maar eenmaal in functie leveren ze ruim voldoende herkenningspunten.

Een voegwoord voegt taaleenheden, inclusief datgene waarnaar die taaleenheden verwijzen, bijeen. Zowel kleine als grote eenheden. Bij nevenschikkende voegwoorden zijn dat gelijkwaardige eenheden, bij onderschikkende voegwoorden niet.

Voorbeelden van nevenschikking:

Het is zonnig *maar* koud. (twee adjectieven)
Komt ze naar huis *of* blijft ze weg? (twee vragen)
Ik ga terug *want* het bevalt me hier niet. (twee mededelingen)

De voegwoorden zijn onverplaatsbaar.

Elk voegwoord heeft, naast de (grammaticale) voeg-betekenis, zijn eigen (lexicale) betekenis, zoals ieder woord. 'En' is in dat opzicht neutraal. Zijn lexicale betekenis is dat de eenheid die erop volgt gevoegd wordt bij de eenheid die eraan voorafgaat. 'Maar' voegt eveneens bijeen, maar bevat bovendien een *tegenstellend* element (evenals het plechtige 'doch'); 'want' bevat een causaal element en 'of' een element van *uitsluiting*. 'Noch' houdt een ontkenning in:

Zij is rijk noch begerenswaardig.

'Noch' is synoniem met 'en ook niet'. Het ontkent echter zowel wat ervóór als wat erna komt.

Van de zes nevenschikkende voegwoorden zijn er drie homoniemen, 'maar', 'want' en 'of'. 'Maar' is geen voegwoord, maar een bijwoord in:

Hij heeft *maar* één boek.

'Want' is een zelfstandig naamwoord in:

Hij klom in het *want*.

En weer een ander zelfstandig naamwoord in:

Hij trok een *want* uit.

'Of' kan ook ónderschikkend voegwoord zijn:

Hij vroeg *of* het waar was.

Onderschikkende voegwoorden staan altijd aan het begin van een ondergeschikte of *afhankelijke* zin. Bijvoorbeeld:

Omdat de jenever op is ...

Op het onverplaatsbare 'omdat' volgt een mededeling die, in de ònafhankelijke versie, luidt:

De jenever is op.

Die mededeling behelst, tezamen met 'omdat', een reden van iets. Dat is inherent aan 'omdat'. Het onderschikkend voegwoord dwingt ons de volgorde van de kale mededeling te veranderen in:

... de jenever op is.

Alle onderschikkende voegwoorden eisen zo'n veranderde volgorde:

> Hoewel de jenever op is ...
> Als de jenever op is ...
> Voor(dat) de jenever op is ...
> Nu de jenever op is ...
> Zodat de jenever op is ...

Deze onaffe voorbeelden kunnen gemakkelijk worden aangevuld, daar is geen rijke fantasie voor nodig:

> Hoewel de jenever op is gaat het feest door.
> Als de jenever op is beginnen we aan de wodka.
> Voor(dat) de jenever op is schenkt hij geen wodka.
> Nu de jenever op is behelpen we ons met sherry.
> Zodat de jenever op is ...

Hé, in dit laatste geval moet de 'aanvulling' *voorafgaan* aan 'zodat':

> Er kwamen veel meer gasten dan ik had uitgenodigd, zodat de jenever op is.

Ook déze *kleine woordjes* bezitten elk een afzonderlijke lexicale betekenis. 'Hoewel' kondigt een niet-gehonoreerde verwachting aan, 'als' leidt een voorwaarde of veronderstelling in, 'voor(dat)' stuurt ons naar een vóór het meegedeelde liggend tijdstip, 'nu' wijst naar een met het meegedeelde samenvallend tijdstip en 'zodat' introduceert een gevolg.

Van 'omdat', 'doordat', 'zodat', 'opdat', 'nadat', 'voor(dat)', 'hoewel' en 'ofschoon' kun je in welke context dan ook blindelings aannemen dat het een onderschikkend voegwoord is (op kunstgrepen na, zie p. 59-61). Bij de andere leden van de klasse moet je op je hoede zijn, ze kunnen een andere woordsoort vertegenwoordigen. Zo kan, zoals gezegd, 'of' zowel neven- als onderschikkend voegwoord zijn. En zo kunnen 'nu' en 'toen' zowel bijwoord als onderschikkend voegwoord zijn:

> *Toen* vlogen ze elkaar aan. (bijwoord)
> *Toen* ze elkaar aanvlogen schrok niemand. (onderschikkend voegwoord)
>
> *Nu* is de brief klaar. (bijwoord)
> *Nu* de brief klaar is ben ik opgelucht. (onderschikkend voegwoord)

Hetzelfde geldt voor de vragende bijwoorden ('wanneer', 'waar', 'hoe'); zij kunnen onderschikkend voegwoord zijn:

> *Wanneer* komt het vliegtuig? (bijwoord)
> *Wanneer* het vliegtuig komt weet ik niet. (voegwoord)
>
> *Waar* landt het vliegtuig? (bijwoord)
> *Waar* het vliegtuig landt is niet bekend. (voegwoord)
>
> *Hoe* schrijf je dat? (bijwoord)
> Ik vraag *hoe* je dat schrijft. (voegwoord)

Een verraderlijk woordje is 'dat' in het volgende voorbeeld:

> Het gerucht *dat* Otto zijn moeder heeft vermoord circuleert al maanden.

Hier is 'dat' onderschikkend voegwoord en niet betrekkelijk voornaamwoord, hoewel het daarop lijkt. Dat het geen betrekkelijk voornaamwoord is blijkt als we 'gerucht' vervangen door 'gedachte':

> De gedachte *dat* Otto zijn moeder heeft vermoord is voor zijn vader ondraaglijk.

Hier kan 'dat' geen betrekkelijk voornaamwoord zijn, omdat een betrekkelijk voornaamwoord in grammaticaal geslacht congrueert met z'n *antecedent*: '*de* gedachte *die* ...', '*het* gevoel *dat* ...'. Maar in '*de* gedachte *dat* ...' is 'dat' voegwoord; het betekent: 'de gedachte *die inhoudt dat*'. Zo ook betekent in de gegeven zin '*het* gerucht *dat* ...' '*het* gerucht *dat inhoudt dat* ...'. Uiteraard is in deze combinatie *het eerste* 'dat' wél een betrekkelijk voornaamwoord, evenals in

Het gerucht *dat* de ronde doet berust helaas op waarheid.

Zo zien we: voor de taalkundige ontleding, dat is: het benoemen van een woord naar zijn woordsoortelijke functie en positie, is het nauwkeurige verstaan van het geheel waarin het woord zich bevindt noodzakelijk.

Samengevat

De voegwoorden hebben twee subklassen: nevenschikkende en onderschikkende voegwoorden. 'En' is het meest representatieve nevenschikkende voegwoord; het voegt de twee gelijkwaardige taaleenheden waar het tussen staat bijeen: 'Jan huilde en stampvoette.' De andere nevenschikkende voegwoorden zijn: 'doch', 'noch', 'maar', 'want', 'of'. Zij hebben elk een eigen lexicale betekenis. 'En' is in dit opzicht neutraal, het drukt bijeenvoeging uit, maar preciseert haar niet.

Het onderschikkend voegwoord voegt twee óngelijkwaardige eenheden bijeen, namelijk een mededeling die een volgende (of vorige) mededeling specificeert: 'Ik lach, *omdat mijn voorspelling uitkomt*.'

Het onderschikkend voegwoord beïnvloedt de woordvolgorde van de mededeling die erdoor wordt ingeleid: '... omdat *mijn voorspelling uitkomt*.' (*omdat mijn voorspelling komt uit).

De bijwoorden 'toen' en 'nu' kunnen als onderschikkende voegwoorden optreden: '*Toen* lachte hij.' (bijwoord). '*Toen* hij lachte ...' (voegwoord). De vragende bijwoorden kunnen eveneens als onderschikkende voegwoorden optreden: Ik weet *wanneer* hij komt. (voegwoord).

Ieder voegwoord, onder- of nevenschikkend, en hoe klein en onopvallend ook, heeft een eigen afzonderlijke lexicale betekenis. 'Wij weten *dat* het waar is.' 'Wij weten *of* het waar is.'

De voegwoorden zijn plaatsvast, goed herkenbaar en vormen een gesloten klasse.

Het tussenwerpsel (interjectie)

Het tussenwerpsel vertoont zo weinig strakke systematiek dat het alleen al daardoor herkenbaar is. Het is zelfs de vraag of het wel een woordsoort is; misschien is het wel een zinsdeel. Dat is iets fundamenteel ánders (p. 145, 146). En om het nog moeilijker te maken: volgens sommige taalkundigen is het in z'n eentje een zin. Het tussenwerpsel is kortom een grammaticaal probleem. Maar daarom niet getreurd. In het woordenboek heeft het tussenwerpsel de status van een woordsoort. Achter de tussenwerpsels staat: 'tw'. Vandaar. Bovendien is elk tussenwerpsel een woord volgens twee belangrijke criteria:

1. het spatie-criterium (zie p. 14);
2. het lemma-criterium: er is in de woordenboeken een lemma aan gewijd.

Volgens de beproefde gewoonte beginnen we met een paar voorbeelden op te sommen, in de verwachting dat die u inspireren tot aanvulling:

ach	hallo
o	boe
nee	miauw
ja	bah
hè	hoera
au	jemig

Het zijn allemaal losse uitroepen. Er zijn klanknabootsende dier- en andere geluiden bij (*onomatopeeën*), keurig verbasterde vloekjes maar ook de onvervalste oerkrachttermen vallen eronder. Er bestaan ook gelede exemplaren:

godallemachtig   godnogaantoe

jezuschristus   welhebikooit

Ze hebben allemaal betekenis, een vaste of een niet zo vaste. Wat ze uitdrukken is bijvoorbeeld verbazing, woede, vreugde, verontwaardiging, of de klank van het nagebootste geluid. Dat laatste associëren we onmiddellijk met het dier of ding in kwestie: 'woef!', 'miauw!', 'tingeling!' Tussenwerpsels gedragen zich grillig. Ze treden afzonderlijk op, maar ook ter inleiding of nuancering van een omvangrijke vraag of mededeling. Altijd zijn ze een beetje losgeslagen. Vele lijken op verzuchtingen, kreten. Ze kunnen niet met een ander woord een ordentelijke woordgroep vormen. Toch nemen ze wel enigszins deel aan een structuur. Hun plaats in een grotere taaleenheid is lang niet altijd totaal willekeurig. Neem het tussenwerpsel 'hoor' (zo zichtbaar afkomstig van de imperatief van 'horen').

Dat komt uitsluitend voor aan het eind van een taaluiting:

't Is al laat hoor!

Ook het tussenwerpsel wordt door wetten van betekenis en vorm beheerst. Heel subtiele wetten vaak. Zo signaleerde eens de Amerikaanse taalkundige Robert Kirsner dat in het Nederlands het tussenwerpsel 'hoor' in sommige gevallen ongepast is, taalkundig gesproken ongrammaticaal:

*Je dochter is gisteren verkracht, hoor!

De meeste taalkundigen worden nu meteen actief en gaan op zoek naar een situatie waarin de uiting niet ongepast is. Bijvoorbeeld in het geval van een regisseur tijdens een repetitie. De desbetreffende acteur vertolkt de getroffen vader in een nonchalante zwierige houding en de regisseur herinnert hem aan de werkelijkheid van zijn rol: 'Je dochter is gisteren verkracht, hoor!' De gemoedelijkheid van 'hoor' is hier niet storend omdat 'je dochter' niet de dochter van de acteur zelf is, maar van het personage dat hij speelt.

Verbluffend, zoals één enkel tussenwerpsel speculaties uitlokt waarvoor je helemaal geen grammatica hoeft te kennen. De tussenwerpsels vallen dan ook een beetje buiten de strikte grammatica met haar ingewikkelde wetten. Ze vormen het sluitstuk. Zoals hier: van de woordsoorten. Anderzijds zijn ze, paradoxaal genoeg, te beschouwen als een soort taalbegin: de onwillekeurige zuchten en kreten:

Pffff... wat een hitte!

Zo'n onomatopee staat vaak aan de wieg van een geheel in het systeem opgenomen echt woord, zoals 'puffen', dat regelrecht afkomstig is van 'pffff!', het tussenwerpsel.

Ondanks zijn naam kan een tussenwerpsel niet overal zomaar tussen geworpen worden. Het enige tussenwerpsel dat zijn naam eer aandoet is 'eh', ook wel gespeld 'uh', maar niet opgenomen als lemma in het woordenboek.

Ik eh kan eh het eh niet eh ... vertellen.

Een onwillekeurige aarzelklank. Een tussenwerpsel.

De klasse van tussenwerpsels is niet zeer groot, maar wel open, want allerlei ongeregistreerde klanken fungeren soms als tussenwerpsel. Zo verzucht de moeder van Frits van Egters nu en dan 'hoeiboei!' (Gerard (Simon van het) Reve, *De avonden*). En F. ten Harmsen van der Beek dichtte:

... slechte bediening was
dikwijls de klacht maar nu ja, pom pom pom.
(*Geachte Muizenpoot*)

Als dát geen tussenwerpsels zijn! Maar geen van beide bereikte het woordenboek.

De tussenwerpsels zijn grammaticale vrijbuiters.

Samengevat
Een samenvatting van het wel en wee van het tussenwerpsel is eigenlijk ... eh ... overbodig. Hoi.

Deel II
De zinsdelen

Zinsontleding

De zin baart menigeen zorgen. Er zijn tientallen taalkundige definities van de zin en ze voldoen geen van alle. Dat is vaak zo met definities. Daar beginnen we dus niet aan. En we laten ons al helemáál niet in met de 'zin' buiten de taal, zoals de zin van het leven. We beperken ons tot taalzinnen, dat is al moeilijk genoeg. Eén ding staat vast: een zin, hóe ook gedefinieerd, bestaat uit woorden, uit minimaal één woord.

Woorden maken deel uit van de taal en staan tot onze beschikking. We kunnen er iets mee doen. Maar zodra een woord deel uitmaakt van een zin hééft iemand er iets mee gedaan.

Wie een zin van zijn moedertaal onderzoekt, plaatst zich onwillekeurig in de positie van iemand aan wie iets wordt verteld. Door wie dan ook. Wat verteld wordt zien we vóór ons. Een beeld. Niet in concreto, maar voor ons geestesoog. Hieronder vallen ook ons geestesoor en de andere geesteszintuigen. Kortom ons gehele vermogen tot beleven in de verbeelding activeren we met behulp van wat we ons geestesoog noemen. Dat is dus een afkorting. Bijgevolg is een beeld niet alleen visueel.

Door een taalzin worden we iets gewaar, namelijk een gebeuren dat zich voor ons geestesoog ontrolt. 'Als een film' zeggen we wel (een razendsnelle). Dat geldt voor iedereen aan wie iets wordt verteld. Maar het eigenaardige van de grammaticus is dat hij zich verdiept in de details van die film – een geluidsfilm natuurlijk – hem vertraagt en af en toe stilzet. Zo kan hij achterhalen hoe die bewegende beelden en hun details corresponderen met delen van de zin.

Soms bestaat een zin uit maar één woord. Neem het substantief 'brand'. Dat is een *woord*. Het wordt pas een *zin* als iemand roept: 'Brand!!!' We horen (met ons geestesoor) iemand schreeuwen, we zien (voor ons geestesoog) een paar steekvlammen, vluchtende mensen misschien, en rook die we met onze geestesneus kunnen ruiken. Je krijgt het er benauwd van. Allemaal doordat we ons voorstellen dat iemand in ernst 'Brand!!!' schreeuwt. Het woord 'brand' vormt dan een zin. Althans volgens sommige taalkundige zinsdefinities. Volgens andere definities is iets pas een zin als het een vervoegde werkwoordsvorm bevat, een persoonsvorm. Een bijzonder soort van persoonsvorm is de imperatief. Die impliceert een toegesprokene. Een zin kan dus uit een imperatief bestaan: 'Spreek!', 'Zwijg!', enzovoorts. Die imperatief wordt pas een zin als we ons voorstellen dat het erin vervatte gebod metterdaad door iemand tot iemand gericht is. Zonder dat blijft hij niet meer dan een daartoe beschikbare imperatief.

Het lijkt misschien vreemd om te zeggen dat soms een zin 'uit één woord bestaat'. Want 'bestaan uit' suggereert een geheel met daarbinnen delen, terwijl blijkbaar niet uitgesloten is dat er maar één 'deel' is. Maar die bijzonderheid is niet voorbehouden aan de zin, zij doet zich wel vaker voor. Zo las ik over een succesvol inbrekertje: 'Zijn gereedschap bestaat uit een schroevedraaier.'

Door grammatici wordt een zin eigenlijk pas voor vol aangezien als er aanwijsbare delen zijn, dus als hij meer dan één woord bevat.

Maar opgepast, ook hier dreigt verwarring. Want een traditioneel zinsdeel, op zijn beurt, bestaat uit een woord, of uit meer dan één. Dus niet alleen is een woord iets anders dan een zin, het is ook iets anders dan een zinsdeel. Maar zin én zinsdeel bestaan noodzakelijkerwijs uit minimaal één woord.

De zin en de zinsdelen vormen het domein van de *zinsontleding*. In de zinsontleding houdt men zich niet onledig met gevallen als 'Brand!!!' of 'Zwijg!', ook niet met gehakkel of gestamel, maar met complete, meerledige, correcte en bij voorkeur opgeschreven zinnen. Lange of korte. Zoals: 'Ik schrok.' Of: 'Tot niemand van de aanwezigen, die allemaal muisstil op hun plaats waren gaan zitten, drong door hoezeer ik van hun aanblik schrok.'

Er is voor een zin, wil hij in aanmerking komen voor de zinsontleding, één must: er moet op z'n minst één persoonsvorm in staan. De persoonsvorm, daar draait het om.

De zin is de grootste grammaticale eenheid. Binnen de zin treft men kleinere grammaticale eenheden aan, zoals woord, woordgroep en zinsdeel.

Er is een beproefd middel om een zin te onderzoeken en dat is: de zin ontleden. Dat kan op twee manieren, die van de *taalkundige* en die van de *redekundige* ontleding.

Taalkundige ontleding is woordbenoeming: het noemen van de woordsoort waartoe elk van de opeenvolgende woorden behoort, of beter gezegd: het noemen van de *woordsoortelijke functie* die het woord in de aangeboden taalzin vervult. Om dat te kunnen moet je de zin gelezen en verstaan hebben; het filmpje heeft zich voltrokken. Letterlijk is 'ontleden': in afzonderlijke 'leden' uiteenleggen, haast zoiets als in stukjes knippen (denk aan snijden met het ontleedmes). Het mooie is dat we dat al schrijvende al een beetje doen: de woorden zijn de stukjes, de spaties zijn de knippen als het ware. Nu nog het benoemen.

De kunstgrepen meegerekend kan van geen enkel woord in een zin blindelings de woordsoort genoemd worden; dat komt doordat het om de *vervulde* woordsoortfunctie gaat. En die is pas duidelijk als je de samenhang tussen de woorden als moedertaalspreker tot je genomen hebt. De kunstgrepen niet meegerekend is zo'n 'blinde' benoeming vaak óók onmogelijk, omdat menig woord meer dan één woordsoortelijke functie kan vervullen.

De zin staat als een huis

De taalkundige ontleding van een zin betreft dus de woorden, en al maken die deel uit van de zin, dan nog zijn ze niet automatisch zinsdelen.

De taalkundige ontleding is ietwat tweeslachtig. De zin wordt ontleed in woorden. Simpel. Die woorden kunnen we benoemen in hun soort, als lid van de taal, maar die soort is gekenmerkt door functies die ze *kunnen* vervullen, als lid van een zin. Als lid van de taal zijn ze beschikbaar (in het lexicon), maar als onderdeel van een zin is er over ze beschikt.

Een woord is als een bouwsteen, of een deur. Een deur treffen we aan in een huis. Uit haar scharnieren gelicht is de deur *niet meer* in functie. Deuren tref je ook aan in de fabriek. Dan zijn ze *nog niet* in functie. Slechts als deel van een huis is de deur in functie. (Als je haar op schragen neerlegt functioneert ze als een tafelblad! Zie p. 60.) Hetzelfde geldt voor een woord in een zin. In onze analogie is een zin een huis, een woord een deur en het lexicon de fabrieksvoorraad.

Maar nu een zinsdeel. Een zinsdeel is niet als een deur, maar als de toegang van een huis. Of als een kamer. De toegang en de kamers van een huis bestaan bij de gratie van het huis als geheel en een 'losse' kamer is even onmogelijk als een 'los' zinsdeel: nergens te vinden. Losse deuren, zelfs muren en vloeren (woorden) zijn, in de hedendaagse bouwtechniek, soms kant en klaar beschikbaar om te gaan functioneren als deur of als muur; als onderdeel van een vertrek (zinsdeel) behorend tot een huis (zin). Zoals bij uitzondering een zin wel eens uit één woord bestaat, zo bestaat een huis wel eens uit één 'stuk': een wooncontainer of woondoos. Afzonderlijk verkrijgbaar. Ook woorden zijn los verkrijgbaar om te gaan functioneren. Maar zinsdelen zijn een zo organisch onderdeel van de zin dat zij daarbuiten geen bestaansvorm hebben.

Zo tweeslachtig als de taalkundige ontleding is, zo eenduidig is de redekundige ontleding in zinsdelen. Dát is wat onder zinsontleding wordt verstaan.

Een zinsdeel is een aanwijsbaar onderdeel van een zin. In de praktijk van een grammaticaboek wijst men een zinsdeel aan door het te cursiveren:

Justitie mag *tweeduizend extra cellen* bouwen.

Het hier gecursiveerde zinsdeel is lijdend voorwerp. Ook 'Justitie' vormt een zinsdeel, evenals 'mag bouwen'. Uit dit laatste blijkt dat in een zinsdeel de woorden elkaar niet onmiddellijk hoeven op te volgen. Meestal doen ze dat wel.

Voor je een zin kunt ontleden moet je hem hebben gelezen en verstaan. Meer dan 'aanwijzen' van de zinsdelen (om hun *redekundige functie* te kunnen vaststellen) is niet goed mogelijk. Van letterlijk 'ont-leden', in brokstukken doen uiteenvallen, kan het nooit komen, want in volstrekt isolement verliezen de zinsdelen hun bestaansrecht. Zij worden benoemd naar hun functie binnen het gegeven geheel. De huis-analogie geeft dat duidelijk aan. Ook de vertrekken van een huis laten zich niet isoleren, maar wel aanwijzen en benoemen. Om de vertrekken te kunnen tonen moet je het huis betreden. Ze concreet met de vinger aanwijzen gaat nog het best op een plattegrond. Aan de hand van de plattegrond kun je je voorstellen hoe het is om in het huis te zijn, waar je je dan precies bevindt, hoe de ruimten verdeeld zijn en hoe zij zich tot elkaar verhouden.

Zo is ook een geschreven zin een soort plattegrond. Hij roept in de voorstelling een situatie op waarvan je getuige bent. Een situatie kun je, net als een huis, in gedachten binnengaan en er tegelijkertijd toeschouwer zijn. Ook kun je erbuiten blijven en je toch een beeld vormen van hoe daarbinnen de verhoudingen liggen. Er wordt niets afgebroken, alles blijft intact, maar er zijn onderscheiden onderdelen.

De opgeschreven zin werkt als een plattegrond van een huis waarvan je je indenkt dat je het betreedt. De zin 'staat als een huis', omdat zijn onvervreemdbare onderdelen onverbrekelijk bij elkaar en bij het geheel horen. Een zin wordt primair niet ontleed, maar beleefd. Dat geldt voor iedereen in het dagelijks bestaan, maar het geldt ook voor de grammaticus die een zin van zijn moedertaal onderzoekt. Voor hij begint te ontleden heeft hij de zin ondergáán. In een flits. Als moedertaalspreker kent hij de voorstelling, de weergegeven situatie.

Door die verbeelde situatie zorgvuldig te observeren met onze geesteszintuigen, ontdekken we hoe elk aanwijsbaar zinsdeel onafscheidelijk verbonden is met een traceerbaar situatie-onderdeel.

Zinsontleding vergt uiteraard de bestudering van de zinsdelen: we willen weten hoe ze in elkaar zitten, welke woordsoorten ze bevatten, hoe hun plaats is in de zinsdeelvolgorde, enzovoorts. Maar allereerst eist de zinsontleding een nauwgezette analyse van de door de zin teweeggebrachte voorstelling.

HOOFDSTUK 25

De voorstelling

In de grammaticale praktijk is een zin in de eerste plaats een zelfstandig schriftelijk gegeven. Grammatici weten natuurlijk best dat een opgeschreven zin in oorsprong de weergave is van een gesproken zin, afkomstig van een mens. Door de alfabetisering echter zijn er ontelbaar veel nooit uitgesproken zinnen direct op schrift gesteld, en al of niet vermenigvuldigd. De mens die een zin produceert is – ook dat weten de grammatici – vervuld van kennis en gevoelens aangaande zichzelf en de buitenwereld, en daarvan is in de zin het een en ander uitgedrukt. Maar de grammaticus leest een zin als een geïsoleerde eenheid. Zonder acht te slaan op context en situatie waarin de zin is geuit. Het doet er zelfs niet toe óf er wel een context en een situatie aanleiding zijn geweest voor het uiten van de zin. Want zo is de realiteit: de losse voorbeeldzinnen zijn afkomstig van een linguïst die zich niet bekommert om de herkomst van die zin. Hij vraagt zich niet af: 'Hóe kwam die voorbeeldzin in me op?', of: 'Wáár heb ik die zin vandaan?', maar gaat er eenvoudig mee aan de slag.

Na de zin te hebben vernomen kan de taalkundige zich aan de inhoud niet onttrekken; het is immers een zin in zijn moedertaal. Roemrucht is de training van aankomende spionnen die hun moedertaal moeten verloochenen. Een Amerikaan moet zich bijvoorbeeld uitgeven voor een Rus die geen Engels kent. Hij bevindt zich in de volle vertrekhal van een luchthaven. Vlak achter zich hoort hij iemand iets zeggen in het Engels. Niet tegen hem, maar tegen een ander: 'Over drie minuten wordt dit gebouw opgeblazen. Wegwezen!' Nu moet de spion onbewogen blijven. Ander geval: in een stil bos wendt iemand zich rechtstreeks tot de spion met de (Engelse!) woorden: 'Kijk uit, er kruipt een adder op uw schoen!' Dan is de spion verloren als hij geschrokken omlaagkijkt. Als het erop aankomt is de moedertaalverloochening een vrijwel onmenselijke opgave, zo doeltreffend is de moedertaal.

De grammaticus die z'n moedertaal onderzoekt leest een voorbeeldzin alsof die uit de lucht kwam vallen, en onmiddellijk is zijn verbeelding actief geworden. Hij vormt zich een voorstelling. Razendsnel. Om de onderdelen van die voorstelling te kunnen observeren moet hij die razendsnelle gebeurtenis kunstmatig vertragen.

Wat er bij de eerste confrontatie met een zin met ons gebeurt weten we niet precies, juist vanwege die snelheid. Wel weten we dat lezen (net als luisteren) een in de tijd verlopend proces is. Neem de zin:

Ik lag in een bed dat krioelde van de luizen.

'Ik lag in een bed' brengt wellicht een gevoel van behaaglijkheid bij u teweeg, dat echter onmiddellijk plaatsmaakt voor huiver. Zich hernemen, correctie aanbrengen kan blijkbaar óók deel uitmaken van het tot je nemen van een zin.

Voor de taalkundige is een zin een waargenomen eenheid, die hem in staat stelt tot het nauwkeurig observeren van de door de zin bij hem opgeroepen voorstelling van zaken.

Ook wat men niet kan *zien*, de achter-, onder-, binnen- of overkant van de dingen, hun geluid, geur, smaak etc., maakt deel uit van de 'voorstelling', die dus veel meer is dan visueel, en zelfs niet uitsluitend georiënteerd is op de zintuigen: allerlei onderdelen die we niet kunnen waarnemen, maar waar we van weten, maken deel uit van de voorstelling.

De grammaticus is dus in eerste instantie lezer. Zijn uitgangspunt is de zin en niet de context en situatie waarin die zin is voortgebracht. Integendeel: context en situatie moet hij reconstrueren. Wat men globaal onder *zinsbetekenis* verstaat is de gereconstrueerde situatie die, volgens de voorstelling van de lezer, aanleiding moet zijn geweest de zin te uiten. Situatiegeledingen vallen samen met zinsgeledingen en zinsontleding valt samen met situatieontleding; zinsontleding vereist dus: een welbewuste observatie van het geheel en de delen van de werkelijkheid die door de zin bij ons wordt opgeroepen.

HOOFDSTUK 26

De personages en hun rollen

In een zin wordt een gebeurtenis weergegeven, ongeacht de vraag of die gebeurtenis onderdeel is, was, zal zijn of kan zijn van de concrete werkelijkheid waarin we leven. Via de zin worden we getuige van een weergegeven gebeurtenis. Als we een zin lezen blijft de oorspronkelijke getuige, dat is de spreker of schrijver, op de achtergrond. Hij is verdwenen. Zó ongemerkt neem je als lezer zijn plaats in dat je je bijna de enige toeschouwer voelt. Wij lezers kunnen niet ingrijpen in de gebeurtenis, die zich, hoewel voor onze ogen, toch buiten ons om voltrekt, precies zo als het geval zou zijn wanneer we niet keken.

De deelnemers aan de gebeurtenis, dat zijn de personages in de voorstelling. Het gaat dan ook niet om een concrete toneelvoorstelling, maar om een directe, zij het niet concrete, confrontatie met personages, die zich rechtstreeks aan ons presenteren. Schepsels die voortkomen uit onze verbeelding, die in gang gezet en gestructureerd wordt door een taalzin. In allerlei opzichten verschillen zij niet van concrete personen in de concrete werkelijkheid die in onze voorstelling worden opgeroepen. Ze zijn in gezelschap van flora en fauna en allerhande attributen; ze zijn omgeven door licht en duisternis, het universum en de elementen. De personen in onze voorstelling handelen, 'gedragen zich', ten opzichte van elkaar, de flora en fauna, de attributen, de elementen en het universum die alle op hun beurt 'zich gedragen', ten opzichte van elkaar en van de personen.

In het dagelijks leven zijn gebeurtenissen waaraan we niet actief deelnemen, neutraal ten aanzien van ons, omdat de handelende personen geen weet van ons hebben, laat staan de attributen, flora, fauna, enzovoorts. Er zijn filosofische overwegingen en sinds 1916 ook zuiver natuurwetenschappelijke, die deze overtuiging doen wankelen: het waargenomene verandert al naar gelang de positie van de waarnemer (Einstein). In het dagelijks leven trekken we ons van zulke bekommernissen niet veel aan. In de praktijk van de grammatica ook niet. We gaan er eenvoudig van uit dat er gebeurtenissen 'an sich' plaatsvinden, die we waarnemen zonder ze te beïnvloeden. En waarin personen en dingen optreden die elkaar in hoge mate beïnvloeden.

De gebeurtenissen die we ontwaren in een moedertaalzin brengen een taal-waarnemer tot de zinsontleding. Het onderscheid tussen de zinsdelen is gebaseerd op het onderscheid tussen de rollen van de personages. De benoe-ming van de voornaamste zinsdelen betreft de zinsdelen en tegelijkertijd de personages in de door hen vervulde rol. Er vindt doorlopend verwisseling, ja vereenzelviging plaats van het zinsdeel en het personage waarop het betrek-king heeft.

Martha zingt.

In deze zin is het zinsdeel 'Martha' onderwerp, maar net zo makkelijk houdt men staande dat de persoon Martha onderwerp van de zin is. Deze vereen-zelviging is kenmerkend voor de redekundige benoeming, de zinsontleding. Bij de taalkundige benoeming, van de woordsoorten, is de neiging tot ver-wisseling van taalonderdeel en de aangeduide buiten de taal gelegen zaak lang zo sterk niet. Bij de woordbenoeming gaat de aandacht primair naar het taalteken, bij de zinsontleding naar de teweeggebrachte voorstelling, de zich daarin voltrekkende gebeurtenissen, de personages en hun aandeel in die gebeurtenissen. Dit alles behoort tot het domein van de *zinsleer*, de aloude *syntaxis*.

De toeschouwers

Wie een zin leest in z'n moedertaal, wordt daarmee toeschouwer van de voorstelling. Of die voorstelling de concrete werkelijkheid betreft of een fictieve doet voor de zinsbeschouwing niet ter zake. In een zin die de concrete werkelijkheid betreft, zoals een ANP-bericht, wordt die werkelijkheid eigenlijk enigszins fictief gemaakt: het concrete verdwijnt; wat blijft is de voorstelling. Voor de toeschouwer-grammaticus doet het er ook absoluut niet toe of de zin waar is met betrekking tot de concrete werkelijkheid.

De toeschouwer is, zoals bleek, niet louter visueel actief, maar met ál zijn geesteszintuigen. De in een zin vervatte gebeurtenis heeft veel weg van een objectief, onaantastbaar en 'self-supporting' gegeven, zonder sporen van buiten af. Zijn zulke sporen er echt niet? Zeer waarschijnlijk zijn ze er wel, omdat een zin niet uit de lucht komt vallen. Dit onmiskenbare feit vormt een dilemma voor de gangbare grammaticale werkwijze, die immers wordt gedomineerd door de uitgangshouding alsof een zin wél uit de lucht kwam vallen.

Een anonieme geschreven zin vormt weliswaar een bewijs uit het ongerijmde dat ooit iemand die zin heeft geuit, maar aan die iemand heeft de taalkundige beroepshalve geen boodschap, zelfs al zou hij weten wie dat is. Slechts de zin gaat hem aan, niet de persoon die de zin heeft geuit. Het probleem nu is dat de zin zelf, benaderd alsof hij uit de lucht kwam vallen, elementen bevat die we werktuiglijk met die persoon in verband brengen. Dat komt doordat we geconfronteerd worden met een *voorstelling van* zaken, een *weergave van* gebeurtenissen. Uit ervaring weten we dat de dingen en gebeurtenissen zelf, 'an sich', in de concrete werkelijkheid harde realiteiten zijn die we nooit totaal kunnen kennen. Daar hoef je Kant niet voor gelezen te hebben. Verder weten we dat één en hetzelfde gebeuren op veel manieren kan worden weergegeven. Vóór er sprake kan zijn van weergave is er het stadium van de waarneming. We weten bovendien dat waarnemingen verschillen al naar gelang de plaats van de waarnemer ten opzichte van het gebeuren en de daarin deelnemende dingen. Gelukkig hoeven we ons niet af te vragen of de dingen 'an sich' veranderen al naar gelang de positie van de waarnemer, zoals Einstein leert. We mogen volstaan met de constatering dat in elk geval de waarnemingen verschillen, al naar gelang de plaats van de waarnemer en diens daarvan afhankelijke perspectief. Eén van onze merkwaardigste vermogens is dat we ons kunnen verplaatsen in een perspectief dat we fysiek niet innemen. Dat is een daad van de verbeelding.

Kenmerkend voor een zin is dat er altijd iets van een perspectief in te bespeuren valt, waarin we ons als lezer automatisch verplaatsen en dat het perspectief van de oorspronkelijke getuige moet zijn geweest, de 'spreker'. Tegelijkertijd komt het ons voor dat zich een onafhankelijke gebeurtenis afspeelt, los van welk perspectief dan ook. Die autonome gebeurtenis wordt niet alleen verschillend waargenomen, maar ook verschillend weergegeven, wat uiteraard samenhangt met het verschil in perspectief, maar daarmee niet alleen. Ontelbare andere factoren bepalen de weergave.

(a)   Een koe staat helemaal alleen te grazen midden in een grote groene wei.

(b)   De grote groene weide ligt leeg en uitgestrekt rond een eenzaam grazende koe.

Het is goed mogelijk deze zinnen als twee weergaven van één en dezelfde situatie te beschouwen. De weergaven onderscheiden zich van elkaar, onder meer door een verschil in focus, als volgt.

(a) De camera heeft ingezoomd op de koe en vervolgens komt langzaam de uitgestrekte omringende weide in beeld.

(b) We zien een groot stuk weide met in het midden iets vaags dat (via de daarop inzoomende camera) bij nadere beschouwing een koe blijkt te zijn.

Dit verschil betreft dus vooral de waarneming van de toeschouwer en niet iets wat zich ook zou voordoen 'als we niet keken' (p. 150). Het kijken wordt in onze illustratie overigens niet direct, met het blote oog, verricht, maar indirect, via het oog van de camera en het daarmee tot stand gekomen filmbeeld.

Dat de oorspronkelijke toeschouwer een positie inneemt die in de weergave haar sporen nalaat is duidelijk. Het blijft echter moeilijk om in zinnen het aandeel van die toeschouwer te onderscheiden van de kenmerken van het gebeuren 'an sich', die naar we veronderstellen ook aanwezig zijn zonder waarnemer. Beide soorten kenmerken, de autonome en de van de waarnemer afhankelijke, worden in de redekundige benoeming gehonoreerd, maar niet systematisch van elkaar onderscheiden. Dat maakt het zinsontleden vaak moeilijk.

(c)   Jan wordt door Piet geslagen.

(d)   Piet slaat Jan.

Beide zinnen zijn als weergave van een en dezelfde autonome gebeurtenis geheel acceptabel. Ook kunnen we veilig aannemen dat altijd als de eerste zin letterlijk waar is ten aanzien van een 'gebeuren' in de concrete werkelijkheid, de tweede automatisch eveneens waar is. Het 'gebeuren an sich' blijft in grote trekken constant. Ga je alleen af op het autonome 'gebeuren' en zijn belangrijkste grote trekken, dan vervullen Jan en Piet ten opzichte van elkaar in de twee zinnen precies dezelfde rol. Vergeet je de zin zelf, ook in z'n vormelijke verschijning, dan krijgen 'Jan' en 'Piet' in de twee zinnen precies dezelfde redekundige benoeming, gebaseerd op de rol van Jan respectievelijk die van Piet. Beginnende zinsontleders, schoolkinderen, komen er daardoor gemakkelijk toe 'Piet' in beide zinnen *onderwerp* te noemen. Daarom moet je leren niet alleen je te verdiepen in de onmiddellijk bij je opgewekte voorstelling, maar ook in de verschijningsvorm van de zin. Het gevolg kan zijn: een iets andere kijk op het autonome gebeuren of zelfs een enkele subtiele verandering in het gebeuren zelf. Zowel in (c) als in (d) is het Piet die slaat en Jan die de klappen krijgt, maar van deze stand van zaken worden verschillende facetten belicht, in (c) andere dan in (d). De toeschouwer ziet het met andere ogen. Het is ook hier een kwestie van focus, maar dat niet alleen. In (c) zien we primair Jan, wie iets overkómt waarin Piet een soort van werktuig is; niet wat je noemt 'willoos', maar toch lijkt het of Piet in (d) met iets meer overtuiging aan de slag is gegaan (excuus voor de woordspeling) dan in (c). In (d) zien we primair Piet die actief handelt ten aanzien van Jan, diens lijf in het bijzonder. Zelf zie ik in (c) Jan enigszins ineengedoken, zijn hoofd beschermend met zijn armen en ook is het net of het slaan in (c) langer duurt dan in (d), maar dat kan allemaal aan mij liggen. Het is bijna niet uit te maken of met de andere belichting niet ook iets aan de gebeurtenis 'an sich' verandert. Mij lijkt van wel.

Al met al is nu wel gebleken dat niet alleen perspectivische informatie afkomstig is van de oorspronkelijke getuige; ook zijn gewaarwordingen en ideeën buiten zijn ruimtelijke waarnemen om kunnen in een zin zijn weergegeven. Zelfs dingen die men bij uitstek particulier en subjectief acht.

Helaas stormt het.

Deze zin roept een voorstelling op van een woeste zee, diep doorbuigende bomen of andere storm-attributen, maar ook van een persoon, hoe vaag ook, die dat betreurt. Een toeschouwer, een getuige, die het stormen 'an sich' niet alleen meldt, maar ook voorziet van subjectief commentaar.

De rol van ons, toeschouwers, is bij nader inzien niet passief en evenmin bijkomstig, en wel hierom niet, omdat we ons zonder erg in de positie, waarnemingen en gewaarwordingen van de oorspronkelijke getuige verplaatsen. Zijn rol nemen we zo geruisloos over dat we zijn bestaan vergeten en wel degelijk het gevoel krijgen dat een zin uit de lucht komt vallen. Een zuiver grammaticaal gevoel.

Het trait-d'union (persoonsvorm)

De zinsdelen ontlenen, zo bleek, hun benoeming in hoge mate aan de personages en hun rollen, zozeer dat men het onderscheid tussen zinsdeel en personage soms uit het oog verliest. Dat is natuurlijk niet goed, maar klaarblijkelijk gebeurt het vaak vanzelf. Legio zijn de formuleringen – zowel in taalwetenschappelijke verhandelingen als in schoolgrammaticaboekjes, ook recente – waarin personage en zinsdeel totaal zijn vereenzelvigd. Overbekend is als karakterisering van het zinsdeel 'onderwerp':

Het onderwerp verricht de handeling.

Een kras voorbeeld uit een spraakkunst voor de basisschool (1980):

In de lijdende vorm wordt de handeling door de bepaling van oorzaak verricht.

Een mooiere illustratie van mijn betoog over 'Jan wordt door Piet geslagen' (p. 54) kan ik me niet wensen.

In taalkundige vakkringen (schoolboekjes lopen wel eens achter) noemt men 'door Piet' al bijna honderd jaar geen bepaling van oorzaak meer; zeker een jaar of twintig is de aanduiding 'passieve door-bepaling' daarvoor in zwang, een handzame afkorting voor: 'bepaling beginnend met 'door' in een lijdende ('passieve') zin die, omgezet in een bedrijvende ('actieve') zin, het substantief (of de substantiefgroep) volgend op 'door' als onderwerp heeft':

Jan wordt door Piet geslagen. – Piet slaat Jan.

Veel grammaticale aanduidingen zijn op te vatten als afkortingen. Dat geldt misschien zelfs voor 'Het onderwerp verricht de handeling', in plaats van 'De persoon waarnaar het zinsdeel 'onderwerp' verwijst, verricht de handeling'. Hoewel zulke afkortingen globaal best begrijpelijk zijn, vereist een taalwetenschappelijke terminologische verantwoording uiteraard grote precisie.

Precisie kan ook voor schoolboekjes geen kwaad. Volgens het zojuist hier figurerende boekje is 'door Piet' bepaling van oorzaak, maar het is niet vol te houden dat 'door Piet' de handeling verricht.

Precisie dus. Aanwijzen met het vingertje, de 'uit de lucht gevallen' geschreven zin in z'n materiële verschijningsvorm voorrang geven, als hij ontleed moet worden. Want hoezeer ook de immateriële voorstelling doorslaggevend is voor de redekundige benoeming, zij moet niet met ons op de loop gaan. Bij de les blijven! en steeds het verband vasthouden tussen een aanwijsbaar stukje zin en een personage of ander onderdeel van de voorstelling.

Soms zijn er hardnekkige voorstellingsonderdelen (optredend bij alle moedertaalgenoten) die zich nauwelijks of helemaal niet laten verbinden met een aanwijsbaar zinsstukje. Een intrigerend geval is de 'er wordt'-constructie:

Er wordt getikt.

Onontkoombaar dient zich hier een persoon aan die tikt. Of, zo u wilt: de veronderstelling, verwachting of overtuiging van de toeschouwer dat de tikbron een mens is. De regen bijvoorbeeld, als tikkende instantie, komt niet voor de voorstelling in aanmerking (behalve als die de gedaante van een persoon aangenomen heeft). Blijkbaar zijn niet altijd alle elementen van de voorstelling aan een aanwijsbaar zinsstukje te koppelen. 'Er wordt getikt.' is dan ook, hoewel een doodgewone en complete zin, zeer moeilijk ontleedbaar en de 'er wordt' constructie is een in vakkringen onopgelost grammaticaal raadsel. Daarom zullen we hem hier verder buiten beschouwing laten en ons beperken tot zinnen met een onbetwist doorzichtige grammaticale reputatie.

Als startpunt voor het redekundig ontleden fungeert een soort woord dat we kennen uit de taalkundige ontleding: de persoonsvorm.

Wie met de woordsoorten redelijk vertrouwd is, kan zich gaan toeleggen op de zinsontleding. Dat is een goede volgorde, want zinsdelen herken je onder meer door een beroep te doen op kennis van de woordsoorten. Soms maakt zelfs een woordsoortelijke term expliciet deel uit van een zinsdeelnaam: 'voorzetselvoorwerp', 'bijwoordelijke bepaling'. Daarentegen kan men woordsoorten leren onderscheiden zonder kennis van de zinsdelen.

Zinsdelen bestaan niet buiten de zin. Woorden wel (zie p. 145, 146). Juist voor de zinsontleding is de opgeschreven zin het aangewezen uitgangsgegeven.

Het begin van de draad die ons door de zin heen leidt langs de zinsdelen is de persoonsvorm, die specifieke vervoegde vorm van het werkwoord, die de schakel vormt tussen taalkundige en redekundige benoeming en die in veel opzichten *de spil* is van de zinsontleding én van de zin. Zoals ik al zei: 'De persoonsvorm. Daar *draait het om.*' (p. 145).

Het onderwerp (subject)

Sommige persoonsvormen herken je meteen, zelfs zonder de zin verstaan te hebben. Alleen al hun uiterlijke vorm geeft zekerheid, kunstgrepen daargelaten. Zulke blindelings herkenbare persoonsvormen zijn: 'heeft', 'is', 'sprak', 'zal', 'lachte', 'deed', 'gingen', 'pakten', 'hadden' en vele andere.

De persoonsvorm weerspiegelt het onderwerp, zowel in 'persoon' als in 'getal'. Dat wil zeggen: als het onderwerp in de tweede persoon enkelvoud staat, dan is ook de persoonsvorm tweede persoon enkelvoud. Is de persoonsvorm een derde persoon meervoud, dan is ook het onderwerp ongezien derde persoon meervoud. Onderwerp en persoonsvorm reflecteren dus elkaar:

Jij koopt de kaartjes voor vanavond.

'Jij' is tweede persoon enkelvoud; 'koopt' ook. 'Jij' is aan zijn eigen vorm alleen al herkenbaar als tweede persoon enkelvoud; 'koopt' niet. 'Koopt' is onbetwistbaar een persoonsvorm en niets anders, maar z'n persoon en getal zijn niet dwingend met de vorm alleen gegeven; slechts dat het een persoonsvorm is staat vast, niet welke het is. 'Koopt' kan ook derde persoon enkelvoud zijn:

Hij koopt de kaartjes.

Maar ook tweede persoon meervoud:

U koopt de kaartjes.

Hier laat het getal zich noch aan het onderwerp 'u', noch aan de persoons-vorm 'koopt', noch aan het gecombineerde 'u koopt' aflezen. Het getal moeten we afleiden uit situatiegegevens. We weten nu eenmaal dat we één persoon, maar ook een hele menigte kunnen aanspreken met 'u' en we noemen daarom in het eerste geval 'u' en 'koopt' enkelvoud en in het laatste meervoud. Om daarover te kunnen beslissen moeten we zoals gezegd een beroep doen op de situatiegegevens van buiten de zin of op een meegegeven context:

U bent hier vanavond met velen bijeengekomen.

'U bent' is hier dus meervoud.

De pronomina 'ik', 'jij', 'hij', 'wij' en 'jullie' daarentegen geven hun persoon en getal ondubbelzinnig zelf te kennen. ('Zij' is een homoniem, evenals 'het'.) Hetzelfde geldt voor een substantief(groep); die is derde persoon en herkenbaar of als enkelvoud of als meervoud. Bij louter een persoonsvorm is er nooit zekerheid over persoon en getal, tenminste als we ons beperken tot de aantonende wijs. (Ik houd me aanbevolen voor een tegenvoorbeeld, in de aantonende wijs dus.) De losse persoonsvormen zijn wél negatief gekenmerkt met betrekking tot persoon of getal; ik bedoel dat 'koopt' geen eerste persoon enkelvoud of meervoud kan zijn, noch derde persoon meervoud. Definitief uitsluitsel over 'koopt' geeft het onderwerp.

Verder zijn er heel veel persoonsvormen die niet aan hun eigen vorm als zodanig herkenbaar zijn:

blazen   ontmoedigen
wachten

Zuiver wat vorm betreft kunnen dit net zo goed infinitieven zijn. Maar áls ze persoonsvorm zijn – wat je alleen kunt uitmaken binnen een gegeven zin – zijn ze meervoud en hetzij eerste, tweede of derde persoon:

wij/jullie/zij wachten
*ik/jij/hij blazen

Al met al is het niet zo'n toer in een zin de persoonsvorm aan te wijzen en daarmee in één moeite door het onderwerp (al kunnen we achteraf niet precies de stappen en hun volgorde bepalen, die tot onze keus hebben geleid). Er is immers een sterke wisselwerking tussen onderwerp en persoonsvorm. Niet voor niets merkten we op dat ze elkaar weerspiegelen.

Nog een belangrijke factor speelt mee in het onderkennen van het onderwerp, en dat zijn alle persoonlijke voornaamwoorden waarbij je aan louter de vorm kunt zien dat ze onderwerp zijn:

ik   wij
jij   gij
hij   zij

Zij bezitten alle de subjectsvorm. Kunstgrepen en koppelwerkwoorden daargelaten kun je er blind van uitgaan dat zo'n pronomen het onderwerp (subject) in de zin is en de bijbehorende persoonsvorm laat zich zonder veel moeite vinden:

Drie dagen gingen zij te voet langs een steil pad.

Een *split second* zou je nog kunnen denken dat 'drie dagen' het onderwerp is:

Drie dagen gingen voorbij.

Maar 'zij' maakt aan die mogelijkheid definitief een eind.

Hoe het ontdekken van het onderwerp precies verloopt mag dan moeilijk te achterhalen zijn, er zijn wel een paar hulpmiddelen die de vaststelling kunnen vergemakkelijken. Zo ontdekten de grammatici de zo goed als onweerspreekbare wet dat het onderwerp en de persoonsvorm met elkaar overeenkomen in persoon en getal. Die wet maakt een mechanistische handeling mogelijk, een verhelderende kunstmatige manipulatie. Namelijk:

Zijn boek behaagt iedere lezer.

De persoonsvorm is 'behaagt'. Maak je daar een meervoud van, dan krijg je:

*Zijn boek behagen iedere lezer.

En kijk, als je dat doet moet 'zijn boek' meeveranderen en óók meervoud worden:

Zijn boeken behagen iedere lezer.

Of verander de derde persoon 'behaagt' in de eerste persoon 'behaag'. Dan moet 'zijn boek' veranderen in de eerste persoon: 'ik'.

Ik behaag iedere lezer.

Deze inzichtelijke manipulatie helpt ons bij het vinden van het onderwerp. In beide gevallen is het omgekeerde ook het geval: verander je getal of persoon van het onderwerp, dan moet de persoonsvorm meeveranderen.

De algemene regel luidt: pak de persoonsvorm, verander getal of persoon of beide, en wat moet meeveranderen is het onderwerp. Gemakshalve vergeten we nu maar dat, om die persoonsvorm te vinden, we allang stilzwijgend een pijlsnel beroep hebben gedaan op het onderwerp, want geen enkele persoonsvorm verraadt *op zich* zijn getal en persoon. Het zinsbetekenisgeheel, de woordsoortelijke functies, de in ons gewekte voorstelling, en bovendien woordvolgordeverschijnselen en nog een aantal andere factoren hebben hun werk al gedaan en ons al eerder in de richting van het onderwerp gestuurd. Want op een veel minder bewust niveau dan dat van de kunstmatige manipulatie weten we exact wat het onderwerp is.

Natuurlijk! Wijzelf immers laten, sinds ons zesde levensjaar of langer, feilloos het onderwerp en de persoonsvorm met elkaar *congrueren* in getal en persoon. En dáárdoor konden we die wet op het spoor komen en formuleren en dáárdoor kunnen we onszelf en anderen leren zinsontleden en zo'n wet als hulpmiddel hanteren om met redelijke precisie het onderwerp aan te wijzen.

Samengevat: 'Verander persoon of getal van de persoonsvorm en dat wat moet meeveranderen is het onderwerp.' En dat werkt.

Want eigenlijk zijn we heel knap.

Samengevat

Het onderwerp wordt door de persoonsvorm weerspiegeld in zowel 'persoon' als 'getal': '*Ik* lach', '*hij* lacht', '*wij* lachen.' In vaktermen: onderwerp en persoonsvorm *congrueren* met elkaar in 'persoon' en 'getal'.

In tegenstelling tot zelfstandige naamwoorden hebben persoonlijke voornaamwoorden ('u' en 'jullie' uitgezonderd) een onderscheiden *onderwerpsvorm* ('ik', 'jij', 'hij', 'zij', 'wij', 'zij') en *voorwerpsvorm* ('mij', 'jou', 'hem', 'haar', 'ons', 'hen/hun').

Zie voor de zinsdeelbetekenissen van het onderwerp: Hoofdstuk 30. Het gezegde (predikaat).

Het gezegde (predikaat)

Het zal u zijn opgevallen dat in de vorige paragraaf met geen woord is gerept over een rol of een personage terwijl het toch om het onderwerp ging, een uiterst gewichtig zinsdeel. We beperkten ons tot praktische richtlijnen om het onderwerp in een zin *te vinden*, uitgaande van de persoonsvorm. Daarmee slagen we erin het onderwerp *aan te wijzen*. Om meer over het subject te weten hebben we kennis van *het gezegde* nodig.

De persoonsvorm maakt deel uit van de woordsoorten en vormt de brug naar de zinsdelen. Zelf is het geen zinsdeel, zomin als een substantief een zinsdeel is. Maar de persoonsvorm kan wel een zinsdeel worden, evenals een substantief. Dat kan bijvoorbeeld onderwerp worden. Zoals 'water' in:

Water is levensnoodzakelijk.

Ook kan een substantief tezamen met een ander woord onderwerp zijn:

Het water stroomde over de weg.

Zo kan ook een persoonsvorm in z'n eentje een zinsdeel vormen:

De graaf *lachte*.

Dit zinsdeel heet 'het gezegde' en omdat het uit een werkwoord bestaat *werkwoordelijk gezegde*. Maar een werkwoordelijk gezegde kan uit méér werkwoordsvormen bestaan, uit een 'samengestelde tijd', met hulp- en hoofdwerkwoorden:

Berend *kan* niet op tijd *zijn gekomen.*
Olga *probeerde* het juweel *te verkopen.*
De schaar *is* op de grond *gevallen.*
Het stadion *zal worden afgebroken.*

In deze zinnen is het werkwoordelijk gezegde gecursiveerd. Het werkwoordelijk gezegde bestaat óf uit één werkwoord, namelijk een persoonsvorm, óf uit een persoonsvorm met bijbehorende werkwoordsvormen, nu en dan in gezelschap van 'te' (of 'aan het').

Het werkwoordelijk gezegde drukt een 'gebeuren' uit, iets dat zich voltrekt in tijd, gedurende eeuwen, in een ondeelbaar ogenblik of in een tijdsduur van overzichtelijker lengte. Het werkwoordelijk gezegde brengt, al of niet in samenhang met een expliciete tijdsaanduiding, onverbiddelijk het tijdselement in de zin:

Al miljoenen jaren *ondervindt* de aarde warmte van de zon.
De bom *ontplofte.*
Ida *woont* in het hartje van Amsterdam.
Je *wordt geroepen.*

Dat gebeuren, dat zowel een actief handelen als een staat van rust of een passief ondergáán kan zijn, voltrekt zich aan iets of iemand, is daarvan onafscheidelijk. Dat iets of die iemand is de bron, het beginpunt van waaruit het gebeuren zich voordoet. Dat geldt ook voor zinnen in de lijdende vorm:

Je wordt geroepen.

Het geroepen-worden, het gezegde-gebeuren dus, vangt aan bij 'je'. Het roepen natuurlijk niet. Daarom is met betrekking tot het gezegde 'handeling' zo'n misleidende kwalificatie. Elke actieve handeling is uiteraard een gebeuren, maar niet elk gebeuren is een actieve handeling. Gebeuren is dus ruimer. Een gebeuren kán een handeling zijn, maar ook het ondergáán daarvan en ook een vrijwel actieloos zich voltrekken:

Jan slaapt.   De abdij ligt op een heuvel.
Eva zwijgt.

Datgene nu waaruit het gezegde-gebeuren voortkomt, dat iets of die iemand dus, is het onderwerp, pardon, ...is het ding waarnaar het onderwerp – dat immers niet iets buiten de taal is, maar een zinsdeel – verwijst. De vereenzelviging van zinsdeel en ding is blijkbaar haast niet tegen te houden. Hoe komt dat?

Dat komt door het woord 'onderwerp'. Dat is een verraderlijk woord. Want in het dagelijks leven is het bij uitstek van toepassing op een persoon of ander ding. Op iets buiten de taal. Het volgende citaat maakt misschien dat u dat heel lang onthoudt (ik hoop het maar, want voor inzicht in de zinsontleding is het van groot belang):

> Een zwaar doorgelegen bewoonster is er het ergst aan toe. Vanwege een dwangstand in haar gewrichten ligt ze als een foetus in bed. Zij is de lieveling van het personeel. Ze is ook *onderwerp van discussie*: Moet je zo iemand in haar laatste fase nog verhuizen naar een verpleeghuis (...)? (*de Volkskrant* 4-9-1993, cursivering van mij)

Deze vrouw is dus onderwerp van discussie. Van taaluitingen. In de discussie of je zo iemand in haar laatste fase nog moet verhuizen naar een verpleeghuis, is zij inderdaad het onderwerp, maar in de zin:

> Moet je *deze vrouw* in haar laatste fase nog verhuizen naar een verpleeghuis?

is 'deze vrouw', dat naar de vrouw verwijst, niet het onderwerp in de grammaticale betekenis.

De vrouw is van het citaat als geheel het 'onderwerp' in de dagelijkse betekenis, maar dat is geen grammaticale rol. Die grammaticale rol doet zich pas voor in de zin:

> ...ligt *ze* als een foetus in bed.

'Ze', het zinsdeel, is grammaticaal onderwerp, niet omdat die vrouw waarnaar 'ze' verwijst gespreksonderwerp is, dat is zij natuurlijk, maar omdat het woord 'ze' in persoon en getal congrueert met de persoonsvorm 'ligt' én omdat het gezegde-gebeuren, het liggen, in die oude vrouw z'n oorsprong vindt, zonder haar niet zou bestaan.

Het congrueren met de persoonsvorm is een grammatisch-vormelijk kenmerk van 'ze', het zinsdeel, het onderwerp. De 'oorsprong'-status van die vrouw, het personage, is een grammatisch betekeniskenmerk van het zinsdeel 'ze'. Alleen dit onverbrekelijke samengaan van congruentie en 'oorsprong'-betekenis levert een onderwerp op van strikt grammaticale aard.

De rol van het subjectspersonage ten opzichte van het gezegde-gebeuren, de 'oorsprong'-rol, is onafhankelijk van de toeschouwer. Dat wil zeggen iets dat hoe dan ook plaatsvindt, ook zonder toeschouwer.

Het woord 'onderwerp' in de dagelijkse betekenis van gespreksonderwerp daarentegen, wil juist niets anders zeggen dan: 'Er is een toeschouwer. Een getuige. Die spreekt.' Hier wringt dus iets. Dat is het verwarrende van het woord 'onderwerp'. Maar wij beperken ons nu tot het zuiver grammaticale onderwerp, een zinsdeel dat met de grammaticaal-technische vakterm 'onderwerp' wordt aangeduid. Dat onderwerp bestaat bij de gratie van het gezegde. Geen onderwerp zonder gezegde. Maar ook: geen gezegde zonder onderwerp. In gemengd Kantiaans en 'video'-jargon is de betekenisrelatie tussen onderwerp en gezegde als volgt uit te beelden.

Het subjectspersonage 'an sich' verschijnt op het scherm in volstrekte stilstand. Als portret. Foto. Eventjes. Maar dan krijgen we het 'gebeuren'. Het gezegde-gebeuren. De film... lóópt! De foto komt tot leven. Het gebeuren zelf zou er niet zijn zonder z'n bron, maar de bron zou niet als bron *herkend kunnen worden* zonder het gebeuren. (Hier komt tóch de toeschouwer om de hoek kijken.) Een ongeëvenaarde wisselwerking tussen onderwerp en gezegde, of liever: tussen subjectspersonage en gezegde-gebeuren. Een wisselwerking waarin de toeschouwer beurtelings wel en niet participeert.

Voor de praktijk van de zinsontleding is die wisselwerking van eminent belang.

Het gezegde bestaat dus uit een persoonsvorm, al dan niet gecombineerd met andere werkwoordsvormen (infinitief, voltooid deelwoord). Het drukt een gebeuren uit dat zijn oorsprong vindt in het subjectspersonage. Zo'n gezegde bestaat uit louter werkwoordsvormen. Het is dan ook een *werkwoordelijk gezegde*.

Nu het *naamwoordelijke gezegde*. Dat heeft een slechte reputatie vanwege zijn moeilijkheid, maar dat is niet helemaal terecht. Om het naamwoordelijk gezegde te kunnen onderscheiden is de rotsvaste beschikking over het roem- ruchte rijtje van koppelwerkwoorden een onmisbare steun: zijn, worden, blijken, blijven, lijken, schijnen, dunken, heten, vóórkomen. Eén rijtje voor de hele zinsontleding, dat is toch niet te veel gevraagd. Met behulp van díe kennis is het naamwoordelijk gezegde heel goed op te sporen. De volgende overwegingen zijn daarbij van belang.

Evenals het werkwoordelijk gezegde drukt het naamwoordelijk gezegde een gebeuren uit. In tegenstelling tot het werkwoordelijk gezegde bevat het naast de werkwoordsvorm(en) ook een naamwoord. Altijd. Dat is een keihard gegeven. Het werkwoord (of het werkwoordscluster) vormt van het gezegde het *werkwoordelijk deel* en het naamwoord het *naamwoordelijk deel*, het *predikaatsnomen*. Is er naast het naamwoord slechts één werkwoord aanwezig – onverbiddelijk een persoonsvorm – dan is dat een koppelwerkwoord, een werkwoord uit het rijtje:

> Mijn broer *wordt* professor.

Is er een cluster van werkwoorden, dan is het hoofdwerkwoord (een infinitief of een voltooid deelwoord) een koppelwerkwoord:

> Mijn broer is professor *geworden*.
> Mijn broer moet professor *worden*.

Het naamwoord in het naamwoordelijk deel is een zelfstandig of een bijvoeg- lijk naamwoord, of een persoonlijk voornaamwoord:

> Een hagedis is een *reptiel*.
> Die boom is *oud*.
> Je lijkt *mij* wel.

Ook bestaat het naamwoordelijk deel wel eens uit een naamwoordelijk functionerend bijwoord, vaak (maar niet noodzakelijk) van voorzetselachtige herkomst:

Het boek is *af*.
De koffiefilterzakjes waren *op*.
De klok blijkt *achter*.
Het weer blijft de hele week *zo*.

De aanwezigheid van een werkwoord uit het rijtje is, hoewel noodzakelijk, geen garantie voor een naamwoordelijk gezegde. Het is dus opletten geblazen. Want al bevat de zin een persoonsvorm of een hoofdwerkwoord uit het rijtje, dan is dat niet automatisch een koppelwerkwoord-in-functie.

Wát is nu die functie? Zij is woordsoortelijk, maar kan pas in het kader van de zinsontleding beschreven worden. Het koppelwerkwoord-in-functie brengt namelijk een heel speciale 'koppeling' tot stand tussen het naamwoordelijk deel van het gezegde en het onderwerp van de zin. Preciezer: tussen datgene waarop het naamwoordelijk deel betrekking heeft en de subjectszaak. Het duidelijkst wordt dat als het naamwoordelijk deel uit een substantief(groep) bestaat:

Mijn pianoleraar is *een Rus*.

Het gecursiveerde naamwoordelijk deel presenteert, los gezien, een persoon met de Russische nationaliteit. Een Rus dus. Maar in deze zin introduceert 'een Rus' niet een afzonderlijke persoon, maar een persoonsbeeld dat een al genoemde persoon, de pianoleraar, geheel dekt. Het 'pianoleraar'-beeld en het 'Rus'-beeld schuiven ineen, zijn van toepassing op één en dezelfde persoon. Zo'n eenwording vindt alleen plaats als de twee substantieven 'gekoppeld' worden door een werkwoord uit het rijtje. Bij andere werkwoorden verrijst uit het tweede substantief onmiddellijk het beeld van een nieuwe, afzonderlijke persoon, die niet samenvalt met die van het onderwerp:

Mijn pianoleraar kent *een Rus*.
Mijn pianoleraar bemint *een Rus*.
Mijn pianoleraar groet *een Rus*.
Mijn pianoleraar kiest *een Rus*.
Mijn pianoleraar ziet *een Rus*.

De andere koppelwerkwoorden drukken allemaal een variant van 'zijn' uit, een zijnsvorm die een onmisbare aanvulling vindt in het naamwoordelijk deel:

> Die film *wordt een succes* (zal een succes zijn).
> Die film *blijkt een succes* (is, weten we sinds kort, een succes).
> Die film *blijft een succes* (is, nog steeds, een succes).
> Die film *lijkt een succes* (is wellicht, maar misschien ook niet, een succes).
> Die film *schijnt een succes* (is, naar het schijnt, een succes).
> Die film *dunkt* me *een succes* (is in mijn ogen een succes).
> Die film *heet een succes* (is, althans naar men zegt, een succes).
> Die film *komt* me *een succes voor* (is, althans zoals hij zich aan mij presenteert, een succes).

Het laatste voorbeeld is wat vreemd; typisch 'antiek', archaïsch taalgebruik. Gebruikelijker is:

> Die film *komt* me *succesvol voor*.

Hier is het naamwoordelijk deel een adjectief. Net als in:

Mijn pianoleraar	is *nerveus*
	wordt *nerveus*
	blijkt *nerveus*
	blijft *nerveus*
	lijkt *nerveus*
	schijnt *nerveus*
	heet *nerveus*
	dunkt me *nerveus*
	komt me *nerveus* voor

Bijna ieder werkwoord van het rijtje is homoniem, en daardoor is een 'blinde' benoeming als koppelwerkwoord-in-functie niet mogelijk:

Vader *is* in de tuin. ('Is' is zelfstandig werkwoord in de betekenis van 'zich bevinden'.)

De zon *schijnt*. ('Schijnt' is zelfstandig werkwoord.)

Jan *wordt* ontslagen. ('Wordt' is hulpwerkwoord van de lijdende vorm.)

De maan *schijnt* helder. ('Schijnt' is zelfstandig werkwoord, met 'helder' als bijwoord; tenzij je hier leest dat de maan slechts in schijn helder is; dan hebben we een naamwoordelijk gezegde en is 'schijnt' koppelwerkwoord en 'helder' een predicatief gebruikt bijvoeglijk naamwoord.)

In het naamwoordelijk deel van het gezegde wordt een verschijningsvorm of een kwaliteit gepresenteerd. Het werkwoordelijk deel (het koppelwerkwoord, al of niet bijgestaan door één of meer hulpwerkwoorden) drukt uit in hoeverre die verschijningsvorm of die kwaliteit eigen is aan de subjectszaak. Het koppelwerkwoord 'zijn' vertegenwoordigt daarin de absolute top; de verschijningsvorm of de kwaliteit dekken de subjectszaak volkomen:

De president *is oud*.
De president *is een optimist*.

De andere koppelwerkwoorden drukken een staat uit die deze volkomenheid slechts benadert, en wel op specifieke wijze: uitgedrukt wordt een onderweg-zijn naar dat absolute 'zijn' ('worden'), gelijkenis ermee vertonen ('lijken'), voortzetten van dat 'zijn' ('blijven'), enzovoorts.

Veelzeggend is in dit verband dat verscheidene werkwoorden uit het rijtje als hulpwerkwoord kunnen optreden bij de infinitief van 'zijn', die dan, als hoofdwerkwoord, koppelwerkwoord-in-functie is:

Hij schijnt hartelijk te zijn
blijkt hartelijk te zijn
lijkt hartelijk te zijn
dunkt (me) hartelijk te zijn
heet hartelijk te zijn
komt (me) voor hartelijk te zijn

Ten slotte kijken we nog even naar de term 'gezegde', waarin op de achtergrond meespeelt dat dat woord in het dagelijks leven gewoon betekent 'dat wat gezegd is', hetgeen van toepassing is op iedere kleinste en grootste taaluiting en alles wat daartussen ligt! Altijd. In 'de man lacht' of 'de man is vrolijk' wordt niet alleen gezegd dat de man lacht of vrolijk is, maar in de eerste plaats – impliciet – dat hij een man is. Maar voor de *grammaticale* kwalificatie 'gezegde' komen alleen 'lacht' en 'is vrolijk' in aanmerking.

Samengevat

Het gezegde brengt het tijdselement in de zin. Het subjectspersonage is de bron, het beginpunt van waaruit het gezegde-gebeuren zich voltrekt. Dat gebeuren kan zijn: een actief handelen, een staat van rust, of een passief ondergáán.

Bestaat het gezegde uit een werkwoord (of een samenstel van hulpwerkwoord(en) en hoofdwerkwoord), dan is het een werkwoordelijk gezegde. Is het hoofdwerkwoord (of het enige werkwoord) een koppelwerkwoord, dan vormt dat samen met een naamwoord (het predikaatsnomen) een naamwoordelijk gezegde.

De voorwerpen (objecten)

Buiten de grammatica zien we voorwerpen voornamelijk als concrete levenloze dingen. Een lepeltje is een voorwerp, ook zonder dat het wordt besproken, en een sleutel is een voorwerp. En een paraplu. *Het zinsdeel* 'voorwerp' daarentegen heeft betrekking op oneindig veel meer. Op iets of iemand, materieel of immaterieel, levend of levenloos, al of niet direct toegankelijk voor onze zintuigen.

De belangrijkste voorwerpen in de grammatica zijn het *lijdend voorwerp* en het *meewerkend voorwerp* (*direct object* respectievelijk *indirect object*). Daarnaast kennen we het *voorzetselvoorwerp*, het *belanghebbend voorwerp* en het *oorzakelijk voorwerp*. De voorwerpen onderscheiden zich van elkaar en van het onderwerp door de rol van hun 'personages' (dat kunnen ook levenloze of abstracte entiteiten zijn) in het weergegeven gebeuren. Die rol is de *zinsdeelbetekenis*, de grammatische functie van het zinsdeel, en daarmee gaan vormelijke eigenschappen van het zinsdeel gepaard. Een vormelijk kenmerk van het onderwerp bijvoorbeeld is, zo zagen we, de congruentie met de persoonsvorm (p. 161, 162).

Het lijdend voorwerp bezit niet zo'n onmiddellijk vaststelbaar vormkenmerk. We moeten overigens goed beseffen dat die congruentie ook niet onmiddellijk vaststelbaar is, laat staan aanwijsbaar. Die congruentie toont zich pas met behulp van actieve manipulatie van de taalbeschouwer (p. 161). Vormelijke kenmerken liggen niet zomaar voor het grijpen. Ze zijn onderworpen aan gecompliceerde, vaak abstracte wetten van volgorde, woordsoortelijke samenstelling, vervangbaarheid en nog veel meer. Het lijdend voorwerp vergt, om onderkend te worden, heel wat ingewikkelder manipulaties. Des te verwonderlijker is het dat lijdende voorwerpen zich in de zinsontledingspraktijk soepel en herkenbaar gedragen.

Het lijdend voorwerp (direct object)
Hieronder volgen, ter kennismaking, enige zinnen met een onomstreden lijdend voorwerp. We beginnen met het standaardvoorbeeld:

Jan slaat Piet.

Die zin bevat een soort prototype van een lijdend voorwerp: 'Piet'. Dat is bedrieglijk, want Piet lijdt wel, in de gewone zin van het woord, maar dat nu heeft niets te maken met het feit dat het zinsdeel 'Piet' lijdend voorwerp is. 'Piet', het zinsdeel, is ook lijdend voorwerp in:

Jan feliciteert Piet.   Jan kiest Piet.
Jan ziet Piet.   Jan vertrouwt Piet.
Jan roept Piet.   Jan redt Piet.
Jan bewondert Piet.

In deze zinnen is van lijden, leed ondergaan, geen sprake. Integendeel zelfs. 'Lijdend voorwerp' is dus een grammaticale technische term, hecht verbonden met een rol die met leed niets van doen heeft en zich overduidelijk onderscheidt van de rol van het onderwerpspersonage. Of er leed in het spel is hangt geheel af van de *lexicale betekenis* van het werkwoord:

Jan martelt Piet.   Jan kwelt Piet.
Jan mishandelt Piet.   Jan bedreigt Piet.
Jan treitert Piet.   Jan kwetst Piet.

Niet de afzonderlijke lexicale werkwoordbetekenis maakt het zinsdeel 'Piet' tot lijdend voorwerp, maar de rol en de positie van de persoon Piet doen dat.
Welke positie heeft Piet in het gebeuren? Dat gebeuren richt zich rechtstreeks op hem; hij is daarvan niet de bron, maar het bereikte, niet de 'zender', maar de 'ontvanger'; het 'gebeuren' komt niet uit hem voort, maar op hem af. Er is duidelijk eenrichtingsverkeer van Jan naar Piet.
Ook zinnen waarin niet uitsluitend personen figureren kunnen een lijdend voorwerp bevatten:

De poes drinkt *melk.*
Leentje vergat *het bericht.*
De steen trof *de politieagent.*
Een groen kleed bedekte *de vloer.*
De angst verlamde *haar.*

Al zijn zinsdeelwetten ingewikkeld en vaak moeilijk toegankelijk, als zich een onwrikbare regel voordoet, die bovendien het ontleden vergemakkelijkt, is dat mooi meegenomen. Zo'n staalharde regel is bijvoorbeeld deze:

Een zin met een lijdend voorwerp bevat altijd een werkwoordelijk gezegde, nooit een naamwoordelijk gezegde.

Dit is dubbelop geformuleerd, maar we willen elk misverstand uitsluiten. Een andere ijzeren wet is:

Zinnen met een lijdend voorwerp staan altijd in de bedrijvende vorm, nooit in de lijdende.

Goed. Nu terug naar het prototype.

Jan slaat Piet.

Het prototype is dus misleidend in verband met de opgeroepen leedgedachte, die aan het grammatisch lijdend voorwerp vreemd is. Daarom kiezen we een nieuw prototype:

Jan redt Piet.

'Piet' is lijdend voorwerp. Hoe weten we dat? Dat weten is gebaseerd op onze voorstelling, het bliksemsnelle plaatje ('filmpje'), of een vagere gewaarwording die zich bij aandachtige beschouwing tot zo'n plaatje uitkristalliseert. Maar hoe komen we aan dat plaatje? Hoe weten we dat Ján slaat? Dat komt door de woordvolgorde. Doordat 'Jan' op de eerste plaats staat is 'Jan' het onderwerp. En hoe weten we dat Piet de klappen krijgt? Doordat 'Piet' na de persoonsvorm komt. Want had er gestaan:

Piet slaat Jan.

dan waren de rollen omgekeerd. Hoe dwingend die volgorde is voor de rolverdeling blijkt wel uit de journalistieke zekerheid dat:

Man bijt hond.

een opzienbarender kop is dan:

Hond bijt man.

Dat is simpel. Toch is de werkelijkheid iets minder simpel. Want de woordvolgorde werkt op deze manier alleen in geïsoleerde, neutrale, contextloze gevallen, waarin uitsluitend substantieven (al of niet met toebehoren) voorkomen die in getal en persoon overeenstemmen met de persoonsvorm, zoals in:

Jan redt Piet.
De Engelsen versloegen de Duitsers.

In zinnen mét een context, of in zinnen die pronomina bevatten, of in zinnen zonder zo'n dubbelzijdige overeenkomst in getal en persoon kan het lijdend voorwerp best op de eerste plaats komen. Bovendien spelen er dan allerlei factoren van accent en intonatie en zelfs van woordkeus mee, waarvan de systematiek (voor zover bekend!) onmogelijk in kort bestek onthuld kan worden. De volgende voorbeelden, waarin het lijdend voorwerp is gecursiveerd, kunnen één en ander illustreren:

Zeer kostbare schilderijen kocht zijn tante. (Hier geeft de congruentie de doorslag.)

Dat mooie aanbod weigerde de cliënt. (Hier doet de woordkeus haar werk: het is onaannemelijk dat een aanbod iets weigert.)

De dokter verwacht ik niet. (Hier is de vorm van het pronomen 'ik' dwingend: de subjectsvorm.)

Ján redde Piet, en niet Frits; díe werd door Adam gered. (Hier informeert de context ons over het objectschap van 'Jan'.)

Als u de voorbeeldzinnen hardop leest, merkt u dat er het nodige aan de hand is met zinsaccent en -intonatie.

Zo zien we dat een ingewikkeld samenspel van heterogene factoren bepaalt welk zinsdeel we als lijdend voorwerp onderkennen zodra er meer in het geding is dan eenvoudige losse zinnen van het type:

Jan redt Piet.
Moeder bakt pannenkoeken.

Toch is er een bekende manipulatie die menige lagere-schoolleerling gehol-pen heeft bij het aanwijzen van het lijdend voorwerp. Het devies voor die manipulatie luidt:

Zet de zin in de lijdende vorm en wat dan onderwerp wordt is in de uitgangszin lijdend voorwerp. En verder: het onderwerp van de uitgangszin krijgt in de lijdende zin 'door' voor zich.

En jawel hoor, voor al onze voorbeeldzinnen gaat dat op. We zetten ze hier even bij elkaar:

Jan slaat Piet. – Piet wordt door Jan geslagen.
Jan feliciteert Piet. – Piet wordt door Jan gefeliciteerd.
Jan ziet Piet. – Piet wordt door Jan gezien.
Jan roept Piet. – Piet wordt door Jan geroepen.
Jan bewondert Piet. – Piet wordt door Jan bewonderd.
Jan kiest Piet. – Piet wordt door Jan gekozen.
Jan vertrouwt Piet. – Piet wordt door Jan vertrouwd.
Jan redt Piet. – Piet wordt door Jan gered.
Jan martelt Piet. – Piet wordt door Jan gemarteld.
Jan mishandelt Piet – Piet wordt door Jan mishandeld.
Jan treitert Piet. – Piet wordt door Jan getreiterd.
Jan kwelt Piet. – Piet wordt door Jan gekweld.
Jan bedreigt Piet. – Piet wordt door Jan bedreigd.

Jan kwetst Piet. – Piet wordt door Jan gekwetst.

De poes drinkt melk. – Door de poes wordt melk gedronken.

Leentje vergat het bericht. – Het bericht werd door Leentje vergeten.

De steen trof de politieagent. – De politieagent werd door de steen getroffen.

Een groen kleed bedekte de vloer. – De vloer werd door een groen kleed bedekt.

De angst verlamde haar. – Zij werd door de angst verlamd.

Man bijt hond. – Hond wordt door man gebeten.

Hond bijt man. – Man wordt door hond gebeten.

De Engelsen versloegen de Duitsers. – De Duitsers werden door de Engelsen verslagen.

Zeer kostbare schilderijen kocht zijn tante. – Door zijn tante werden zeer kostbare schilderijen gekocht.

Dat mooie aanbod weigerde de cliënt. – Dat mooie aanbod werd door de cliënt geweigerd.

De dokter verwacht ik niet. – De dokter wordt door mij niet verwacht.

Ján redde Piet (+ context). – Ján werd door Piet gered.

Moeder bakt pannenkoeken. – Door moeder worden pannenkoeken gebakken.

De omzetting eist soms wat aanpassing in woordvolgorde (wat opmerkelijk is en niet een-twee-drie te verklaren), maar verder is zij probleemloos.

De hier gemelde omzetting is niet voor álle zinnen met een lijdend voorwerp mogelijk. De regel luidt dus:

> Een zinsdeel dat bij omzetting in de lijdende vorm onderwerp wordt is lijdend voorwerp in de bedrijvende zin.

Maar dat is geen conditio sine qua non. Sommige zinnen met een lijdend voorwerp láten zich eenvoudig niet omzetten in de lijdende vorm. Je kan het natuurlijk wel 'doen', maar dan is het resultaat problematisch, of onacceptabel:

> Onze vriend heeft een zeiljacht. – *Door onze vriend wordt een zeiljacht gehad.

De tentoonstelling trok 70 000 bezoekers. – ?Door de tentoonstelling werden 70 000 bezoekers getrokken.
Ik bezeerde mijn voet. – ?Mijn voet werd door mij bezeerd.
Hij kreeg een nieuw idee. – *Een nieuw idee werd door hem gekregen.

Een in de taalkunde beruchte eigenaardigheid treedt op in het volgende geval:

Jan bemint zijn vrouw. – Zijn vrouw wordt door Jan bemind.

Die eigenaardigheid is dat, zo wordt algemeen aangenomen, in de eerste zin Jan zijn eigen vrouw bemint en in de tweede zin andermans vrouw.

Die toch wel ingrijpende verandering vindt niet plaats als we het in persoon en getal met het onderwerp overeenkomende bezittelijke voornaamwoord vervangen door een niet-congruerend voornaamwoord:

Jan bemint deze vrouw. – Deze vrouw wordt door Jan bemind.
Jan bemint mijn vrouw. – Mijn vrouw wordt door Jan bemind.

Ten slotte verdient nog vermelding dat een imperatiefzin zich niet laat omzetten in de lijdende vorm, al bevat hij een onbetwistbaar lijdend voorwerp:

Haal de krant!
Eet je pap!

Kortom: de vormvoorwaarden waaraan 'het' lijdend voorwerp voldoet zijn uitermate complex. Maar de omzettingsproef heeft dikwijls een positief resultaat en is een goed hulpmiddel. Zij werkt niet bij álle lijdende voorwerpen. Maar áls de proef werkt hebben we een lijdend voorwerp. Werkt zij niet, dan is niettemin het lijdend voorwerp als zodanig te herkennen. In de praktijk van het zinsontleden is het lijdend voorwerp namelijk allereerst een kwestie van rol en voorstelling. Een semantische aangelegenheid is een aangelegenheid van betekenis, dit laatste zo ruim mogelijk opgevat, dus zeer verweven met interpretatie en duiding. De vormkenmerken van het lijdend voorwerp laten zich moeilijk systematiseren en zijn dan ook nog lang niet allemaal door de taalwetenschap in kaart gebracht. Veel meer dan omzettings- en volgorde-verschijnselen is er in de Nederlandse grammaticastudie niet over opgemerkt.

Zij vormen echter nuttige hulpmiddelen voor de beoefening van de zinsontleding. Veel steun verlenen ook de genoemde 'ijzeren wetten':

1. Een lijdende zin bevat nooit een lijdend voorwerp.
2. Een zin met een naamwoordelijk gezegde bevat nooit een lijdend voorwerp.
3. Behoudens kunstgrepen begint een lijdend voorwerp nooit met een voorzetsel.

Over voorzetsel gesproken: het voorzetsel speelt een centrale en merkwaar-dige rol in het herkennen van het meewerkend voorwerp (indirect object), het zinsdeel dat nu aan de orde komt.

Het meewerkend voorwerp (indirect object)
Over de centrale rol van het voorzetsel in de herkenning van het meewerkend voorwerp zijn alle Nederlandse spraakkunsten het eens. Het voorzetselcrite-rium voor het meewerkend voorwerp luidt – al eeuwen – als volgt:

1. Een zinsdeel dat begint met het voorzetsel 'aan' is meewerkend voorwerp als dat voorzetsel kan worden weggelaten.
   Voorbeeld: 'Hij schenkt aan het museum zijn complete collec-tie.'- 'Hij schenkt het museum zijn complete collectie.'
2. Een zinsdeel bestaande uit een (pro)nomen of een (pro)nomi-nale groep is meewerkend voorwerp als het voorzetsel 'aan' ervóór gezet kan worden.
   Voorbeeld: 'Hij schenkt het museum zijn complete collectie.' 'Hij schenkt aan het museum zijn complete collectie.' Ander voorbeeld: 'Oom Wouter leende (aan) ons een groot bedrag.' Maar: 'Oom Wouter leende *van* ons een groot bedrag.'

In de laatste zin over oom Wouter kan het voorzetsel onmogelijk weggelaten worden, aangezien hij (de zin; oom Wouter ook trouwens) een heel andere betekenis krijgt.

Oom Wouter leende ons een groot bedrag.

De voorwaarde voor een geslaagde toevoegings- of weglatingsproef is namelijk dat de betekenis van de zin gelijk moet blijven.

Het toevoegings- of weglatingscriterium heeft een lange voorgeschiedenis, aanvangend bij de contacten tussen het Latijn en het vroegste 'Nederlands'. Het criterium is dus zeer gevestigd en ook redelijk bruikbaar maar óók een beetje bizar. Het is net of je een standbeeld definieert als iets waar je een sokkel onder kunt plaatsen en tegelijkertijd een sokkel onder vandaan kunt halen. Andere vergelijking: een peuter is te herkennen doordat je hem een petje kunt opzetten én doordat je hem van een petje kunt ontdoen. Deze concrete parallellen verhelderen enigszins het probleem van het karakteriseren van het meewerkend voorwerp, maar ze lossen het niet op. Een leuk probleem is het wel, en uniek in de Nederlandse grammaticale traditie. Geen enkel ander zinsdeel krijgt een zo paradoxaal gepreciseerde beschrijving.

Het standaardvoorbeeld van een meewerkend voorwerp (standaardvoorbeelden leiden een lang en taai leven) is:

Jan geeft (aan) zijn vader een boek.

Traditioneel wordt naast 'aan' ook 'voor' genoemd als weglaatbaar dan wel toevoegbaar voorzetsel:

De vader kocht zijn zoontje een hobbelpaard.
De vader kocht voor zijn zoontje een hobbelpaard.

Maar dat is zo'n beetje het enige soort voorbeeld met 'voor'. Zelden kan 'voor' op harmonische wijze wegblijven. Dat is bijvoorbeeld mogelijk wanneer iemand, met een eerbiedwaardig persoon op een caféterras gezeten, zegt:

Ik bestel u een glas whisky.

Een meewerkend voorwerp zonder voorzetsel noemt men in de Nederlandse grammatica wel een *zuiver* meewerkend voorwerp, tegenover het *omschreven* meewerkend voorwerp, mét voorzetsel.

Een prachtig voorbeeld van een zuiver meewerkend voorwerp in natuurlijke staat is:

> Ik bracht mijn kind een buks mee naar huis;
> hij schouderde hem en schoot
> eer ik het kon verhinderen
> de zeven poppekinderen
> van het poppenhuis
> morsdood.
>
> ...
>
> (Ida Gerhardt)

Hoewel niet algemeen erkend in de Nederlandse grammatica, komen er nog wel enkele andere voorzetsels in aanmerking voor het hier behandelde meewerkend-voorwerpcriterium:

> Hij zei *me* dat ik nog lang niet aan de beurt was.
> Hij zegen *tegen me* dat ik nog lang niet aan de beurt was.
> Hij zei *tot mij* dat ik nog lang niet aan de beurt was.

Ofschoon sinds jaar en dag gebruikelijk, waterdicht is het voorzetselcriterium allerminst. Ten eerste doen zich al bij eerste beschouwing complicaties in de volgorde voor:

> Ik schrijf een brief aan de burgemeester.
> *Ik schrijf een brief de burgemeester.
> Ik schrijf het aan de burgemeester.
> ?Ik schrijf de burgemeester het.
> *Ik schrijf aan de burgemeester het.
> Ik schrijf hem.
> ?Ik schrijf hem het.
> Ik schrijf het aan hem.
> *Ik schrijf aan hem het.

Ook zijn er onbetwiste zuivere meewerkende voorwerpen die niet of nauwelijks een voorzetsel gedogen:

Hij deed me een groot plezier. (*aan me)
Het bezorgde ons kippenvel. (?aan ons)
De graaf reikte zijn bezoekster de hand. (?aan zijn bezoekster)
De dominee gaf me een knipoogje. (*aan me)
Mijn woede geldt ú, mevrouw! (*voor u)

Daartegenover zijn er omschreven meewerkende voorwerpen waaruit het voorzetsel zich niet of nauwelijks laat verwijderen, ook niet bij volgordewijziging:

Moeder doet dat allemaal voor jou.
(*Moeder doet dat jou allemaal. *Moeder doet dat allemaal jou.)
Zij betekende alles voor hem.
(?Zij betekende hem alles. *Zij betekende alles hem.)

Over sluitende vormcriteria voor het meewerkend voorwerp beschikken we niet, maar met eenrichtingsverkeercriteria bereik je ook al veel:

Als verwijdering dan wel toevoeging van 'aan' of 'voor' mogelijk is, is er sprake van een meewerkend voorwerp.

Het zuivere meewerkend voorwerp onderscheidt zich van het lijdend voorwerp als volgt: 1 Het meewerkend voorwerp kan in een passieve zin staan; het kan geen onderwerp worden in een lijdende zin. (De verkeerde, maar in de toekomst misschien wel als juist geaccepteerde lijdende zin 'De reizigers *worden* verzocht uit te stappen.' wijst erop dat men in 'Ik verzoek de reizigers uit te stappen.' 'de reizigers' interpreteert als lijdend voorwerp. Interpreteer je in de bedrijvende zin 'de reizigers' als meewerkend voorwerp, dan luidt de parallelle lijdende zin automatisch: 'De reizigers *wordt* verzocht uit te stappen.') 2 Het meewerkend voorwerp kan vóórkomen in een zin met een naamwoordelijk gezegde. ('Wij zijn *u* erkentelijk.' 'Die middelen werden *haar* fataal.' 'Dit antwoord leek *de directeur* de oplossing.')

Al met al zijn er heel wat vormelijke en zoals hierna zal blijken semantische feiten die het meewerkend voorwerp herkenbaar maken.

Semantisch is het meewerkend voorwerp goed te onderscheiden als we ons oriënteren aan het standaardvoorbeeld (dat bovendien aan het vormelijke 'aan'-toevoegingscriterium voldoet):

> Jan geeft zijn vader een boek.

Dit voorbeeld roept – in deze geïsoleerde vorm – in de voorstelling een gebeuren op waaraan drie 'partijen' deel hebben: twee personen en één levenloos voorwerp. De subjectspersoon, Jan, is de bron van het werkwoordgebeuren, het geven. Het lijdend-voorwerpsding, het boek, is zeer nauw betrokken in het geven, maakt er direct deel van uit. Het geven gaat uit van Jan, onmiddellijk richting boek. Zozeer onmiddellijk dat het boek bijna één wordt met het geven. Het geven én het daarin ingekapselde boek bewegen zich tezamen richting vader. De vader is iets verder van het geven verwijderd dan het boek. Het boek is de direct betrokken partij in het geven. De vader neemt, met het boek vergeleken, *indirect* deel aan het geven. Indirect object. Meewerkend voorwerp.

Terechtgekomen bij deze rolverdeling moeten we ons nog eens duchtig bezinnen op het verschijnsel 'zinsdeelbetekenis'. We keren terug naar het standaardvoorbeeld:

> Jan geeft zijn vader een boek.

Net als 'Jan slaat Piet' is, in verband met de naamgeving van het zinsdeel (meewerkend voorwerp), het standaardvoorbeeld bedrieglijk. Door de lexicale betekenis van 'geven' is het aannemelijk dat de vader in de dagelijkse zin van dat woord inderdaad *meewerkt* om het boek te ontvangen, bijvoorbeeld door zijn handen uit te strekken. Maar in:

> Jan ontfutselt *zijn vader* een duizendje.

is het zinsdeel 'zijn vader' óók meewerkend voorwerp, terwijl vader zelf toch niet echt meewerkt. Wel dóet hij mee in het gebeuren, zij het tegen zijn zin. Dit 'meedoen', waarin de mate van vrijwilligheid totaal buiten beschouwing blijft, vormt de betekenis van het zinsdeel meewerkend voorwerp; die zins-deelbetekenis is dus geheel onafhankelijk van de lexicale betekenis van het werkwoord (net als de betekenis van het lijdend voorwerp).

Opnieuw terug naar het standaardvoorbeeld, nu mét voorzetsel:

Jan geeft aan zijn vader een boek.

De meeste spraakkunsten (waaronder de gezaghebbende ANS (1997)) noemen 'aan zijn vader' meewerkend voorwerp. Maar volgens enkele andere spraak-kunsten (waaronder 'Den Hertog (1901), het onbetwiste fundament van de twintigste-eeuwse Nederlandse grammatica) is in diezelfde zin 'zijn vader' meewerkend voorwerp. Het voorzetsel 'aan' blijft dus een beetje in de lucht hangen. Onbenoemd. Den Hertog zelf overigens heeft hierover zo zijn be-denkingen, uitvoerig en glashelder. 'Den Hertog' is dan ook een geniale grammatica, jarenlang verplichte leerstof 'ten dienste van aanstaande (taal)onderwijzers'. Maar in de talrijke daarop gebaseerde schoolgrammati-ca's komen zulke subtiliteiten niet aan de orde.

Over één ding zijn de grammatici het eens: we benoemen de zinsdelen, niet de personages. De vereenzelviging van die twee ligt echter voortdurend op de loer, en een aanwezig voorzetsel maakt het benoemen niet gemakkelijker. Immers, het meewerkend-voorwerpspersonage blijft gelijk, met of zonder voorzetsel. Het personage en zijn rol beïnvloeden wel degelijk de benoeming van het zinsdeel. Maar omdat uiteindelijk de redekundige benoeming het zinsdeel en niet het personage betreft, noemen we 'aan zijn vader' meewer-kend voorwerp.

Een omschreven meewerkend voorwerp derhalve bevat een voorzetsel. Een zuiver meewerkend voorwerp niet.

Het voorzetselvoorwerp (prepositieobject)
Van latere datum dan 'Den Hertog', maar voor hedendaagse begrippen zeer vertrouwd, is het voorzetselvoorwerp. Bij de benoeming van dit zinsdeel is het voorzetsel een belangrijk element, net als bij het meewerkend voorwerp, maar dan precies contra:

Het voorzetsel van een voorzetselvoorwerp kán niet weg.

Preciezer: áls het al weg 'kan' is er geen voorzetselvoorwerp meer, maar een lijdend voorwerp. Terwijl een meewerkend voorwerp, ontdaan van een voorzetsel, meewerkend voorwerp blijft:

> Gerard schrijft *aan zijn geliefde*. (meewerkend voorwerp)
> Gerard schrijft *zijn geliefde*. (meewerkend voorwerp)

> Veronica zoekt *naar de poes*. (voorzetselvoorwerp)
> Veronica zoekt *de poes*. (lijdend voorwerp)

> Ik vertrouw *op mijn collega's*. (voorzetselvoorwerp)
> Ik vertrouw *mijn collega's*. (lijdend voorwerp)

Op de grote vraag of de betekenis gelijk blijft, gaan we ook hier niet in. Feit is dat in de grammatica een voorzetselvoorwerp zonder voorzetsel niet voorkomt. En dat is wel zo gemakkelijk. Want het levert ons een ijzeren regel:

> Elk voorzetselvoorwerp begint met een voorzetsel.

Hier is zelfs het kunstgrepenvoorbehoud niet van toepassing. Helaas is de regel niet helemáál van ijzer; een uitzondering vormen de voornaamwoordelijke bijwoorden (p. 128, 129):

> Hilde rekent *daarop*. (voorzetselvoorwerp)

Goed dan, afgezien van voornaamwoordelijke bijwoorden beginnen alle voorzetselvoorwerpen met een voorzetsel. Maar wacht u voor de drogreden: lang niet ieder zinsdeel dat met een voorzetsel begint is een voorzetselvoorwerp. Integendeel.

Het kenmerkendste van het voorzetselvoorwerp is dat zijn voorzetsel niet of nauwelijks meer een eigen lexicale betekenis bezit. In andere voorzetselgroepen bezit het dat wel:

Hij voelt zich het gelukkigst *op* het water.
Vissen leven *in* het water.
Wij wonen *aan* het water.

In een voorzetselvoorwerp doet het voorzetsel niet veel meer dan verband leggen tussen de voorzetselgroepszaak en het gezegde-gebeuren, zonder dat het de aard van dat verband nader preciseert. Die aard is eigenlijk al bepaald door het gezegde-gebeuren:

Hij wacht op het antwoord.   We kijken naar de foto's.
Hij is verslaafd aan alcohol.

De voorzetsels horen zozeer bij het werkwoord (of bij het koppelwerkwoord plus naamwoord) dat we spreken van een *vast voorzetsel*:

wachten op   vragen om
twijfelen aan   hunkeren naar
feliciteren met   boos zijn op

De relatie tussen het gezegde-gebeuren en een voorzetselvoorwerpszaak komt die tussen een gezegde-gebeuren en een lijdend-voorwerpszaak zeer nabij:

Hij wacht op een antwoord, verwacht een antwoord.
We kijken naar de foto's, bekijken de foto's.

Er zijn enkele combinaties van werkwoord en vast voorzetsel waarin het werkwoord zijn zelfstandige lexicale betekenis verloren heeft:

rekenen op (vast vertrouwen (op))
houden van (beminnen)

Er zijn werkwoorden met een behouden zelfstandige betekenis die ook zonder hun vaste voorzetsel kunnen functioneren:

Hij wacht op een antwoord.
Hij wacht.

We kijken naar de foto's.
We kijken.

Ook zijn er werkwoorden met een herkenbare zelfstandige betekenis die toch zonder het vaste voorzetsel niet voorkomen, maar wél met een lijdend voorwerp (met miniem betekenisverschil):

Hij verlangt naar de winter.
*Hij verlangt.
Hij verlangt uitleg.

Verder zijn er werkwoorden met een herkenbare zelfstandige betekenis die zonder vast voorzetsel kunnen optreden, maar die meer dan één vast voorzetsel (met miniem betekenisverschil) hebben:

Hij denkt aan zijn toekomst.
Hij denkt om zijn toekomst.
Hij denkt over zijn toekomst.
Hij denkt.

En er zijn werkwoorden die zelfstandig of met één of meer vaste voorzetsels kunnen optreden, maar ook met een lijdend voorwerp:

Zij gelooft in de vooruitgang.
Zij gelooft aan de duivel.
Zij gelooft haar leermeester.
Zij gelooft.

Hij trouwt met Annie.
Hij trouwt Annie.
Hij trouwt vandaag.

Sommige werkwoorden kunnen niet alléén, maar uitsluitend met een vast voorzetsel optreden:

Wij snakken naar water.
*Wij snakken.

Het voorzetselvoorwerp is het enige grammaticale voorwerp waarvan de naam zowel een vormelijke als een semantische eigenschap uitdrukt. 'Voorzetsel-' betreft een vormelijk aspect van het zinsdeel: het voorzetsel is een noodzakelijk bestanddeel van het zinsdeel.

Een zin met zowel een lijdend voorwerp als een voorzetselvoorwerp is zeldzaam:

Ik herinner hem (lijdend voorwerp) *aan zijn plichten* (voorzetselvoorwerp).

Ter overdenking volgt hier een voorbeeld van een werkwoord waarvan de betekenis in haar tegendeel verkeert al naar gelang het bijbehorende voorwerp een lijdend voorwerp of een voorzetselvoorwerp is:

Grootvader steunt op zijn kleindochter.
Grootvader steunt zijn kleindochter.

Een van de vele curiosa in onze moedertaal.

Ten slotte merk ik nog op dat het voorzetselvoorwerp, in tegenstelling tot het lijdend voorwerp, gecombineerd kan worden met een naamwoordelijk gezegde:

Hij is verrukt van de nieuwe directrice.
Zij werd razend op haar begeleider.

Het belanghebbend voorwerp en het oorzakelijk voorwerp
Speciaal in verband met het naamwoordelijk gezegde levert de grammatica nog twee enigszins perifere grammaticale voorwerpen, die verschillende overlappingen vertonen, zowel met elkaar als met het meewerkend voorwerp: belanghebbend voorwerp en oorzakelijk voorwerp.

Ik ben *al uw gepraat* moe. (oorzakelijk voorwerp)
Dat beeldje is *een fortuin* waard. (oorzakelijk voorwerp)

'Belanghebbend voorwerp' noemt men wel een zinsdeel beginnend met 'ten behoeve van' of, met diezelfde betekenis, 'voor':

Hij huurt dat huis ten behoeve van/voor zijn studerende zoons.

Als er 'voor' staat overlapt het belanghebbend voorwerp het meewerkend voorwerp.

Globaal kunnen we de grammaticale voorwerpen als volgt karakteriseren.

1. *Vormelijk*: ze bestaan uit een (pro)nomen of een (pro)nominale groep zonder voorzetsel, óf met een weglaatbaar voorzetsel, óf met een voorzetsel waarvan de zelfstandige lexicale betekenis zo goed als nihil is.

2. *Semantisch*: het 'personage' waarop het voorwerp betrekking heeft vervult een specifieke rol in het gezegde-'gebeuren' en onderscheidt zich nadrukkelijk van het subjectspersonage.

Afgezien van het voorzetselvoorwerp is de naamgeving van de grammaticale voorwerpen duidelijk niet gebaseerd op vormelijke, maar op semantische eigenschappen van deze zinsdelen: op het aandeel van hun personages in het gezegde-gebeuren. Vandaar dat ook hier personage en zinsdeel vaak worden vereenzelvigd, in de trant van: 'het lijdend voorwerp ondergaat de handeling'. De zinsdeelnamen zijn ons via Latijnse vertalingen uit het Grieks van tweeduizend jaar geleden overgeleverd. Nog altijd zijn ze interpreteerbaar en zonder al te veel moeite van toepassing op onze moedertaal. De zinsdeelbeginselen van het klassieke Grieks zijn blijkbaar ook van kracht in het hedendaagse Nederlands. Wie weet bevatten ze tot nog toe onontdekte universele grammaticale wetten, uiteindelijk even onaantastbaar als de stelling van Pythagoras, de Griek (575-500 v. Chr.). Of anders wel een formule even oneindig als de kwadratuur van de cirkel.

Samengevat

Het lijdend voorwerp (direct object) is het zinsdeel dat verwijst naar datgene wat het werkwoordelijk-gezegde-gebeuren onmiddellijk ondergaat. Een zin met een naamwoordelijk gezegde bevat nooit een lijdend voorwerp. Een zin met een lijdend voorwerp staat altijd in de bedrijvende vorm. Een zinsdeel dat bij omzetting in de lijdende vorm onderwerp wordt, is in de bedrijvende vorm lijdend voorwerp, maar zo'n omzetting is niet altijd mogelijk. Een lijdend voorwerp begint nooit met een voorzetsel (kunstgrepen daargelaten).

Het meewerkend voorwerp (indirect object) is gekenmerkt doordat je er 'aan' of 'voor' voor kunt plaatsen respectievelijk het aanwezige 'aan' of 'voor' kunt wegnemen. Het meewerkend voorwerp kan in een passieve zin staan en in een zin met een naamwoordelijk gezegde. Het gezegde-gebeuren is, via de daarin direct betrokken direct-objectszaak, gericht op het indirect-objectspersonage.

Het voorzetselvoorwerp begint met een voorzetsel. Het verband tussen de erop volgende genoemde zaak en het gezegde-gebeuren is zo nauw dat het de band tussen gezegde-gebeuren en lijdend-voorwerpszaak benadert. Het voorzetsel heeft geen zelfstandige lexicale betekenis. Het is een vast voorzetsel bij het werkwoord ('wachten op'). Het voorzetselvoorwerp kan in een lijdende zin staan, in een zin met een naamwoordelijk gezegde, en (zelden) in een zin met een lijdend voorwerp.

De bepalingen

De grammatica kent drie hoofdcategorieën:

bijvoeglijke bepaling;
bijwoordelijke bepaling;
bepaling van gesteldheid.

De *bijvoeglijke bepaling* is een buitenbeentje, namelijk het enige zinsdeel dat deel uitmaakt van een groter zinsdeel. Een bijvoeglijke bepaling kan bestaan uit:

een attributief gebruikt bijvoeglijk naamwoord; een *mooi* verhaal
een bijwoord; die man *daar*
een voorzetselgroep; de broer *van mijn vriendin*
een aanwijzend voornaamwoord; *deze* dag
een bezittelijk voornaamwoord; *onze* prins
een telwoord; *vijf* rozen

In de volgende zinnen is steeds de bijvoeglijke bepaling gecursiveerd en tussen haken is de betreffende woordsoort vermeld en het zinsdeel waarvan de bepaling deel uitmaakt:

Zij *hier* moet maar eens alles vertellen. (bijwoord; deel van het onderwerp)
We luisterden naar een *saai* verhaal. (bijvoeglijk naamwoord; deel van het voorzetselvoorwerp)

De huizen *daar* zijn allemaal bouwvallig. (bijwoord; deel van het onderwerp)
De bewoners *van het plein* hadden een feestje georganiseerd. (voorzetselgroep; deel van het onderwerp)
Deze les zal zij nooit vergeten. (aanwijzend voornaamwoord; deel van het lijdend voorwerp)
Onze kippen lopen vrij rond. (bezittelijk voornaamwoord; deel van het onderwerp)
Op het bureau stonden *drie* wijnglazen. (telwoord; deel van het onderwerp)

De gebruikelijke benoeming van de bijvoeglijke bepaling is: 'bijvoeglijke bepaling bij...' gevolgd door het (pro)nomen waar zij vóór of na geplaatst is. Dus:

'hier' is bijvoeglijke bepaling bij 'zij';
'van het plein' is bijvoeglijke bepaling bij 'bewoners';
'onze' is bijvoeglijke bepaling bij 'kippen'.

Lidwoorden worden niet apart als bijvoeglijke bepaling benoemd.
Bijvoeglijke bepalingen geven bij het ontleden zelden of nooit problemen. Ze functioneren altijd binnen een woordgroep en zijn dus, vergeleken met andere zinsdelen, erg onzelfstandig. Ze zijn in de zinsontleding min of meer verdwaald geraakt en er per ongeluk in terechtgekomen. Ze hebben niet een complete *syntactische status,* dat wil zeggen, ze zijn geen volwaardig zinsdeel maar een zinsdeeldeel. In tegenstelling tot de andere bepalingen zijn ze volstrekt plaatsgebonden; ze kunnen alleen verplaatst worden op straffe van grammatische-functieverandering:

Zij fotografeerde een *haastig* jongetje.
Zij fotografeerde *haastig* een jongetje.
Haastig fotografeerde zij een jongetje.

Strikt genomen horen de bijvoeglijke bepalingen dus niet thuis in de zinsontleding, maar in de analyse van *woordgroepen.*

Een bijzonder soort van bijvoeglijke bepaling is de *bijstelling*, altijd een substantiefgroep, vaak een eigennaam:

Mijn vriend, *de notaris,* heeft zes dochters.
Onze neef, *Hugo,* verhuist naar Italië.
Hugo, *onze neef,* verhuist naar Italië.

Groot is de verscheidenheid van *bijwoordelijke bepalingen,* waarvan die van *plaats, tijd* en *hoedanigheid* of *wijze* de bekendste zijn.

Verder is er de *bepaling van gesteldheid,* enigszins berucht en terminologisch verknoopt met 'predicatieve' en 'dubbelverbonden' bepaling, maar, zoals we zullen zien, geen onoverkomelijk struikelblok.

De bijwoordelijke bepaling

'Bepaling' betekent in het dagelijks leven onder andere afbakening, precisering, en dat is ook de strekking van de grammaticale vakterm. De volwaardige syntactische bepaling geeft een afbakening en precisering van het gezegde-gebeuren te kennen en daarmee indirect ook van alle daarin betrokken partijen.

Zijn zoon trouwde *in 1988* met een Italiaanse prinses.

We hebben hier een *bijwoordelijke bepaling van tijd*: zij bevat het jaar waarin het trouwen plaatsvond en daarmee worden ook die zoon en zijn prinses – voor de duur van de trouwplechtigheid – in dat jaar geplaatst.

Zijn zoon trouwde *in Rome* met een Italiaanse prinses.

Hier is 'in Rome' een *bijwoordelijke bepaling van plaats.*

Zijn zoon trouwde *in aller ijl* met een Italiaanse prinses.

Ziehier een *bijwoordelijke bepaling van hoedanigheid of wijze.*

Met enig woordvolgordebeleid kunnen deze bepalingen ook tegelijkertijd in één zin verschijnen (die woordvolgorde is niet geheel vrij, maar ook niet strikt gebonden):

In 1988 trouwde, *in Rome,* zijn zoon *in aller ijl* met een Italiaanse prinses.

De specificaties 'van plaats', 'van tijd', 'van wijze' hebben, heel simpel, betrekking op de plaats, tijd en wijze waarop de gebeurtenis plaatsvindt. Die plaats of andere specificatie staat genoemd in de bepaling.

Er zijn nog de nodige andere specificaties. Zoals de *bijwoordelijke bepaling van oorzaak*:

Door de slechte kwaliteit van de geluidsapparatuur was de toespraak onverstaanbaar.

En de *bijwoordelijke bepaling van gevolg*:

Tot ieders teleurstelling kwam de wereldberoemde sopraan niet opdagen.

Juist bij deze twee bijwoordelijke bepalingen moeten we goed weten dat de specificatie (het gevolg dan wel de oorzaak) *in de bepaling* genoemd staat. Verlies je dat uit het oog, dan wordt de zinsontleding een warboel. En bij causale verbanden is dat gevaar niet denkbeeldig. Immers, in geval van een oorzaak is er ook altijd een gevolg, en omgekeerd. Als er in een zin een oorzakelijk verband wordt genoemd, kán de oorzaak in een bepaling staan, maar het hóeft niet. Ook het gevolg kan in een bepaling staan en ook dát, o logica, hoeft niet.

Hóe je het causale verband uitdrukt is een kwestie van formulering. Die ellende met de wereldberoemde sopraan kan men ook als volgt weergeven:

Door het wegblijven van de wereldberoemde sopraan was iedereen teleurgesteld. (bijwoordelijke bepaling van oorzaak)

Trouwens, in een zin kan van een oorzakelijk verband sprake zijn zonder dat hij een bijwoordelijke bepaling van wat dan ook bevat:

Het wegblijven van de beroemde sopraan stelde iedereen teleur.

De oorzaak van de teleurstelling staat hier genoemd in het onderwerp van de zin en het gevolg kan men opmaken uit het werkwoordelijk gezegde en het lijdend voorwerp. Het onderwerp heeft altijd wel iets oorzakelijks ('bron', p. 165, 166), maar vervult een heel andere rol in het gebeuren dan de specificatie door een bijwoordelijke bepaling. De grammatische zinsdeelbetekenis van het onderwerp verschilt hemelsbreed van die van de bijwoordelijke bepaling. Complementair daaraan heeft het onderwerp totaal andere vormkenmerken (congruentie onder andere, p. 162) dan een bijwoordelijke bepaling.

Kortom, altijd blijft het van groot belang de zinsdeelbetekenis als iets autonooms te onderscheiden van de – eveneens autonome – lexicale betekenis van de afzonderlijke woorden. Een enkele keer gaan die twee samen:

Door nog onbekende oorzaak ontspoorde de trein. (bijwoordelijke bepaling van oorzaak)

Maar meestal niet:

Door de te hoge snelheid ontspoorde de trein.
Door de botsing ontspoorde de trein.
Door een ontregeling van het remsysteem ontspoorde de trein.
Door metaalmoeheid van de rails ontspoorde de trein.

Allemaal bijwoordelijke bepalingen van oorzaak die geen substantief bevatten met een betekeniselement 'oorzaak'. Dat element bevindt zich wel in het voorzetsel 'door', maar omdat 'door' een homoniem is, is de vorm 'door' geen garantie voor een bijwoordelijke bepaling van oorzaak.

De woordcombinatie 'ten gevolge van' is dat wel. Laat u dus niet in de war brengen: een bijwoordelijke bepaling die begint met 'ten gevolge van', is een bijwoordelijke bepaling van oorzaak (en niet van gevolg!).

De bijwoordelijke bepaling zelf, nogmaals, bevat een verwijzing naar de oorzaak, het gevolg, de plaats, de tijd, kortom naar datgene waarnaar de bepaling is genoemd: bijwoordelijke bepalingen van oorzaak, tijd enzovoorts. Zo. Nu genoeg gewaarschuwd.

Er zijn nog ettelijke andere bijwoordelijke bepalingen. Zoals de *bijwoordelijke bepaling van omstandigheid*:

Onder luid boegeroep betrad de minister het podium.

En de *bijwoordelijke bepaling van voorwaarde*:

In geval van ziekte kunt u zich laten vervangen. (Voor vervanging is ziekte een voorwaarde.)

En de *bijwoordelijke bepaling van toegeving*:

Ondanks mijn woede bleef de verkoper vriendelijk glimlachen.

De bijwoordelijke bepaling van toegeving bevat een gegeven dat het tegenovergestelde van wat er gebeurt doet verwachten. Woede, denk je, leidt tot irritatie of wrevel, niet tot een glimlach. Het woordje 'ondanks' echter laat al zien dat je toegeeft dat die verwachting niet wordt beantwoord.

Dan is er nog de *bijwoordelijke bepaling van beperking*:

Voor een leek bent u heel vaardig in het herkennen van verschillende soorten huiduitslag.

De algemene strekking van de kernzin 'u bent heel vaardig in het herkennen van verschillende soorten huiduitslag' wordt teruggenomen, ingeperkt.

Nu is elke bepaling in zeker opzicht een beperking, maar deze soort beperking is in de grammatica gehonoreerd met een speciale bijwoordelijke bepaling. Van beperking dus.

Verder is er de *bijwoordelijke bepaling van doel*:

Ter bestrijding van het racisme werd een vrolijk cd'tje op de markt gebracht.

De constructie 'ter... -ing van' leidt altijd een bijwoordelijke bepaling van doel in.

In sommige spraakkunsten worden wel meer (sub)specificaties onderscheiden, *van richting* bijvoorbeeld ('Hij liep *naar de voordeur*'); hun namen spreken voor zichzelf. Eén daarvan is enigszins problematisch, omdat ze zoveel op een lijdend voorwerp lijkt:

Hij heeft *drie kilometer* gezwommen.

Volgens de gangbare benoeming is dit een *bijwoordelijke bepaling van hoeveelheid,* hoewel toch de volgende omzetting acceptabel is:

Door hem werd drie kilometer gezwommen. (Zelfs 'werden' kan!)

Maar 'zwemmen' is natuurlijk niet een echt overgankelijk werkwoord, alleen namen van afstanden, maten en gewichten komen in aanmerking voor zo'n lijdend-voorwerpachtige functie. Omdat maat en hoeveelheid vaak worden uitgedrukt met behulp van een telwoord, heeft de grammatica gekozen voor bijwoordelijke bepaling 'van hoeveelheid'. Dat geldt ook in zinnen met een naamwoordelijk gezegde, zoals:

Die kamer is *acht meter* lang.
Dit biefstukje is *tweehonderdvijftig gram* zwaar.

Maar ook voor equivalenten met een werkwoordelijk gezegde:

De kamer meet in de lengte *acht meter.*
Dit biefstukje weegt *tweehonderdvijftig gram.*

Twee specificaties van de bijwoordelijke bepalingen verdienen nog afzonderlijk aandacht.

Ten eerste de *bijwoordelijke bepaling van reden.* En wel hierom, omdat zij zo dicht bij die van oorzaak ligt. Het verschil tussen die twee zit in het al of niet aanwezig zijn van bewuste menselijke overweging die het gezegde-gebeuren beïnvloedt. Is die er, dan spreekt men van reden, is die er niet, van oorzaak:

Op grond van uw krankzinnige gedrag wil ik geen woord meer met u wisselen. (bijwoordelijke bepaling van reden, de 'ik' heeft bewust besloten)

Door zijn krankzinnige gedrag werd het flatje onbewoonbaar. (bijwoordelijke bepaling van oorzaak; het flatje overwoog niets)

Het voorzetsel 'door' duidt, zoals gezegd, vaak op oorzaak, en 'wegens' altijd op reden.

Ten tweede de *bijwoordelijke bepaling van modaliteit*. Die bestaat uit bijwoorden als 'misschien', 'waarschijnlijk', 'zeker', 'hopelijk', 'helaas'. Zij 'preciseren' de gehele zinsinhoud met betrekking tot zijn waarheidsgehalte of waarde in de ogen van de 'spreker'.

Hoewel het niet tot een elegant geheel leidt, is het zeer wel mogelijk vele bijwoordelijke bepalingen in één zin te stapelen:

Tot mijn verdriet trouwde mijn zoon vorige week helaas door een samenloop van omstandigheden, ondanks onze protesten, onder enthousiaste bijval van zijn vrienden, in Rome heimelijk met een Italiaanse prinses.

Als het goed is kunt u hierin acht bijwoordelijke bepalingen haarfijn benoemen.

Het bijwoordelijke van de bijwoordelijke bepalingen zit hem hierin: als de betreffende zinsdeelfunctie vervuld wordt door één woord is dat (behoudens één uitzondering) een bijwoord:

Zijn zoon trouwde *gisteren* met een Italiaanse prinses. (bijwoordelijke bepaling van tijd)
Zijn zoon trouwde *daar* met een Italiaanse prinses. (bijwoordelijke bepaling van plaats)
Zijn zoon trouwde *heimelijk* met een Italiaanse prinses. (bijwoordelijke bepaling van wijze)

De verplaatsbaarheid, gelijk aan die van de desbetreffende bijwoorden, is een markant vormkenmerk van de bijwoordelijke bepalingen.

De functie van bijwoordelijke bepaling van tijd kan – hier komt de uitzondering – vervuld worden door één woord (of substantiefgroep) dat (die) niet een bijwoord is, maar een zelfstandig naamwoord (of telwoord-groep) dat (die) een eenheid uit onze klok of kalender aanduidt, zoals een uur, jaar, maand of dag:

> *Vijf over acht* begint de uitzending.
> *Zondag* begonnen de moeilijkheden.
> *Januari* vertrekken we naar Zuid-Korea.
> *1994* waren we nog optimistisch.

Toch zijn dit allemaal volgens de traditionele grammatica bijwoordelijke bepalingen van tijd.

Er is wel eens een bijwoord dat je (kunstgrepen daargelaten) blindelings kunt benoemen als een bijwoordelijke bepaling met specificatie en al: 'niet-temin' (bijwoordelijke bepaling van toegeving), 'desondanks' (idem), 'helaas' (bijwoordelijke bepaling van modaliteit), 'wellicht' (idem).

In de schoolgrammatica's worden de bepalingsspecificaties wel toegelicht in termen van de vraag waarop zij antwoord geven. Dat is een aardig didactisch hulpmiddel.

Zo geeft een bijwoordelijke bepaling van plaats antwoord op de vraag 'waar?', een bijwoordelijke bepaling van tijd op 'wanneer?', een bijwoordelij-ke bepaling van wijze op 'hoe?', van reden op 'waarom?' enzovoorts. Een gekke complicatie is dat in vragende zinnen de woorden 'waar', 'wanneer' enzovoorts, zelf bijwoord én een bijwoordelijke bepaling van plaats, respec-tievelijk tijd enzovoorts zijn:

> *Waar* woon je? (bijwoordelijke bepaling van plaats)
> *Wanneer* speelt de fanfare? (bijwoordelijke bepaling van tijd)

Woorden die als lexicaal element een tijd- of plaatsaanduiding bevatten kunnen in alle mogelijke zinsdelen voorkomen:

Vrijdagavond is de prettigste avond van de week. (onderwerp)
Ik houd *van de vrijdagavond*. (voorzetselvoorwerp)
Het winkeltje *op de hoek* wordt afgebroken. (bijvoeglijke bepaling)
Het concert *van die zondagmorgen* zal ik nooit vergeten. (bijvoeglijke bepaling)
Hij verafschuwt *december*, vanwege al die feestdagen. (lijdend voorwerp)

Bijwoordelijke bepalingen beginnen vaak met een voorzetsel. Sommige voorzetsels hebben een zo uitgesproken lexicale betekenis dat ze met zekerheid de specificatie aangeven, zoals 'ondanks' (toegeving), maar ook 'tijdens' (tijd of duur) en 'na' (tijd).

Soms zijn voorzetselgroepen moeilijk benoembaar als zinsdeel:

Hij vocht *met zijn vriendin*.
Hij schaatste *met zijn vriendin*.
Hij lachte *met zijn vriendin*.
Hij kwam terug *zonder zijn vriendin*.
Hij doet dat alles *op een koopje*.

Het zijn onmiskenbaar bijwoordelijke bepalingen (de eerste zin lijkt echter in aanmerking te komen voor 'voorzetselvoorwerp'), maar niet één van de bekende specificaties voldoet hier echt. Men behelpt zich in zulke gevallen met de aanduiding 'voorzetselbepaling'. Een beetje gemakzuchtig, maar het is niet anders.

De bepaling van gesteldheid

De bepaling van gesteldheid (of *dubbel verbonden bepaling* of *predicatieve bepaling*; in de verschillende spraakkunsten is de terminologie niet eensluidend en tamelijk ondoorzichtig) heeft een slechte reputatie, maar toch voldoende herkenningspunten om als apart zinsdeel te kunnen worden behandeld. Dikwijls bestaat de bepaling van gesteldheid uit één woord, namelijk een predicatief gebruikt bijvoeglijk naamwoord (p. 71). Dat woord lijkt veel op een bijvoeglijk naamwoord in bijwoordfunctie (p. 71, 72) maar ís dat niet. De bepaling van gesteldheid verschilt van de bijwoordelijke bepaling. Dat wordt duidelijk als we de volgende gevallen vergelijken:

1. (a) *Luid* zong zij haar lied. (bijwoordelijke bepaling van wijze)
   (b) *Blozend* zong zij haar lied. (bepaling van gesteldheid)
2. (a) Hij liep *snel* naar binnen. (bijwoordelijke bepaling van wijze)
   (b) Hij liep *schuchter* naar binnen. (bepaling van gesteldheid)

Vergelijken wij het eerste paar. In 1 (a) is de wijze van zingen luid. Dat geeft de vervolgmogelijkheid:

Het luide zingen ergerde de buren.

In 1 (b) is de wijze van zingen niet blozend. Vandaar de verwerpelijkheid van:

*Het blozende zingen vertederde ons.

'Het blozend zingen' zou er nog mee door kunnen (nauwelijks, vind ik), maar 'blozende', nee. In 1 (b) geeft 'blozend' dan ook niet een kenmerk van het zingen, maar van het meisje tijdens het zingen. Het is een bepaling bij 'zij'.

Maar uitsluitend voor zover en voor zolang zij zingt. Het is waarschijnlijk dat zij vóór en na het zingen niet bloosde. Het blozende is geen blijvende of inherente eigenschap van het meisje.

Het blozende meisje zong haar lied.

In deze zin is het juist wél waarschijnlijk dat het om een immer roodwangig meisje gaat. Dat ligt aan de woordsoortbetekenis, de grammatische functie van het attributieve bijvoeglijk naamwoord (p. 69). Met een beroep op de lexicale betekenis van het bijvoeglijk naamwoord in kwestie wordt dat duidelijker:

Het sproetige meisje zong haar lied.
Het Chinese meisje zong haar lied.

Sproetig-zijn, of Chinees-zijn, wordt gepresenteerd als een kenmerk van het meisje, ook afgezien van de zingperiode. Het zijn eigenschappen die men niet zomaar aflegt, vandaar het buitengewoon vreemde karakter van de mededeling:

Het meisje zong sproetig haar lied.

Of:

Het meisje zong Chinees haar lied.

In deze zinnen is de lexicale betekenis van het bijvoeglijk naamwoord in strijd met de grammatische betekenis van het zinsdeel, die het element 'tijdelijkheid' bevat. Om deze zinnen te kunnen interpreteren, 'waar te maken', moet je haast van een soort beeldspraak uitgaan (dat de sproeten niet echt zijn bijvoorbeeld, respectievelijk dat het om iets 'Chineesachtigs' gaat; in het laatste geval zou je geneigd zijn te zeggen 'op z'n Chinees').

Al met al is nu wel gebleken dat een bepaling van gesteldheid iets anders is dan een bijwoordelijke bepaling van hoedanigheid. De bepaling van gesteldheid is 'dubbel verbonden', namelijk zowel met het onderwerpspersonage als met (de duur van) het gezegde-gebeuren. In de traditionele grammatica heet deze bepaling *bepaling van gesteldheid tijdens*.

Hetzelfde geldt voor 'schuchter' in:

Hij liep schuchter naar binnen.

Hier is echter ook nog de mogelijkheid aanwezig dat het lopen zelf iets schuchters heeft, al is 'schuchter' als kwalificatie van lopen ondenkbaar zonder de gemoedsgesteldheid of het karakter van het betreffende personage daarin te betrekken. 'Zijn schuchtere lopen' is hier zelfs niet uitgesloten. Toch drukt 'schuchter' tegelijkertijd iets van de stemming van het onderwerpspersonage uit. Hier is dus de aanduiding 'dubbel verbonden bepaling' helemáál van toepassing.

Verder kent de Nederlandse grammatica de *bepaling van gesteldheid ten gevolge van*. Standaardvoorbeeld:

Hij verft het hek *groen*.

Ook hier is er een dubbele verbinding: 'groen' is verbonden met het verven en met het hek, niet de subjects- maar de direct-objectszaak. Niet de wijze van verven is groen, vandaar dat 'het groene verven' hier niet, en 'het groenverven' hier wél op z'n plaats is.

Het hek wordt groen ten gevolge van het verven. Daarom is 'groen' een *bepaling van gesteldheid ten gevolge van*.

Andere voorbeelden:

Hij slaat de spijker *krom*.
Hij klopte het ei *los*.
Hij plukte het boompje *kaal*.
Hij trapte de wesp *plat*.
Hij kneep het bouillonblokje *fijn*.
Hij toverde zijn zusje *gezond*.

De bepaling van gesteldheid ten gevolge van kan ook uit een voorzetselgroep bestaan:

Hij sneed de paté *in plakken*.
Hij scheurde de rok *aan flarden*.

Een merkwaardig grensgeval doet zich voor in:

Hij sloeg haar een bloedneus.

Je kúnt 'haar' opvatten als lijdend voorwerp en de zin zien als een uitbreiding van:

Hij sloeg haar.

In dat geval komt 'een bloedneus' in aanmerking voor de benoeming 'bepaling van gesteldheid ten gevolge van'. De consequentie is dat je dan de omzetting:

Zij werd een bloedneus geslagen.

voor lief moet nemen. Verkies je echter:

Haar werd een bloedneus geslagen.

dan heb je 'haar' in 'hij sloeg haar een bloedneus' gelezen als een meewerkend voorwerp en 'een bloedneus' moet daarin dan wel lijdend voorwerp zijn. Vreemd. Maar grensgevallen zijn altijd vreemd. Niet voor de spreker, maar voor de linguïst.

De derde en laatste bepaling van gesteldheid is de *bepaling van gesteldheid volgens*. Ook deze is verbonden met gezegde en lijdend voorwerp:

Ik acht uw voorstel *onaanvaardbaar*.
We vinden Albanië een *beklagenswaardig land*.
Zij noemt zijn roman een *mislukking*.

Deze bepaling van gesteldheid kan zoals we zien behalve uit een bijvoeglijk naamwoord ook bestaan uit een substantief(groep).

De objectszaken worden niet iets 'ten gevolge van' het gezegde-gebeuren, maar zijn iets 'volgens' de bron van dat gebeuren, het subjectspersonage. Of, in geval van lijdende vorm is het subjectsding iets volgens het personage van de passieve 'door'-bepaling. Deze variant doet zich ook voor in de bepaling van gesteldheid ten gevolge van. Een passieve 'door'-bepaling kan ontbreken:

Uw voorstel wordt *onaanvaardbaar* geacht.
Zijn roman wordt een *mislukking* genoemd.
De rok werd *aan flarden* gescheurd.
Zij werd *bont en blauw* geslagen.

Bij de bepaling van gesteldheid volgens drukken de betreffende werkwoorden ook lexicaal uit dat er van een subjectieve mening sprake is ('vinden', 'achten', 'noemen'). Ook 'beschouwen als', een werkwoord met vast toevoegsel, wordt in de traditionele spraakkunst tot deze categorie gerekend.

Ik beschouw hem *als een held*.

In deze zin wordt 'een held' *bepaling van gesteldheid volgens* genoemd.

Met 'als' weet men zich zowel in de zinsontleding als in de woordbenoeming niet goed raad. Een echt voorzetsel is het niet, omdat het geen (pro)nomen of (pro)nominale groep na zich vereist:

> Ik beschouw het geld als verspild.
> Ik beschouw het werk als af.

Ook in andere constructies is 'als' een dwarsligger. Geen echt voorzetsel, getuige:

> Hij is even lang als jij.
> *Hij is even lang als jou.

Maar:

> Hij was vermomd als mij.
> *Hij was vermomd als ik.

'Hij was vermomd als ik' kan weliswaar heel goed, maar dan betekent het iets heel anders, namelijk 'hij was, evenals ik, vermomd'. Raadsels, raadsels.

Overigens bespeuren we al een lichte hang naar goedkeuring van:

> *Hij is even lang als jou.

Dit wijst op de neiging van 'als' om een echt voorzetsel te worden. Vooralsnog wordt 'hij is even lang als jou' afgekeurd. Wie weet over een paar jaar niet meer. Want de taal verandert hoe langer hoe sneller. In sommige onderdeeltjes althans.

Maar de meeste grammaticale structuren zijn zo diep in ons verankerd dat ze immuun zijn voor verandering. Zo'n immuun verschijnsel is de bepaling van gesteldheid. Een impopulair stukje grammatica met een subtiele dubbele taak. Zelf vind ik het wel een mooi zinsdeel.

Samengevat

Er zijn drie soorten bepalingen: de bijvoeglijke bepaling, de bijwoordelijke bepaling en de bepaling van gesteldheid.

De bijvoeglijke bepaling is geen volwaardig zinsdeel, maar onderdeel van een woordgroep en daarmee een onzelfstandig zinsdeeldeel. ('Het *muffe* theatertje zou spoedig gerestaureerd worden.')

Een bijwoordelijke bepaling bestaat uit een bijwoord of een substantief dat, of uit een voorzetselgroep die plaats, tijd, hoedanigheid, oorzaak, gevolg of enige andere specificatie van het gebeuren weergeeft, óf de waarschijnlijkheid van het meegedeelde, óf een subjectieve kwalificatie ervan. ('Hij komt *morgen*.', 'Het dooit *helaas*.', 'Zij schrikt *misschien*.')

De bepaling van gesteldheid is altijd 'dubbel verbonden', hetzij met onderwerpspersonage en gezegde-gebeuren, hetzij met lijdend-voorwerpspersonage en gezegde-gebeuren. De bepaling van gesteldheid geeft een kwalificatie van subjects- of objectspersonage voor de duur van het gezegde-gebeuren 'tijdens', 'volgens' of 'ten gevolge van'. ('Zij zette *verlegen* haar glas neer.', respectievelijk 'Hij vond de spin *griezelig*.', respectievelijk 'Hij sloeg zijn tegenstander *bewusteloos*.')

De aangesproken persoon (vocatief)

Dames en heren,
De aangesproken persoon levert zelden of nooit problemen in de zinsontleding op. Desondanks, of misschien juist daardóór, is het een intrigerend zinsdeel. Meer dan enig ander zinsdeel is het in de naamgeving versmolten met zijn personage. Men wordt in persoon aangesproken. Rechtstreeks. De term 'persoon' is terecht, want al wat wordt aangesproken is bij de gratie daarvan gepersonifieerd, en dus voorzien van het vermogen het gesprokene te vernemen. Ook als het de poes is:

> Goede morgen? *Hemelse mevrouw Ping*
> (F. ten Harmsen van der Beek)

Of een mug:

> Ga weg, *rotbeest*!
> (Jim Armstrong)

Of een boom:

> o *oude boom in de achtertuin*
> hoe kaal en lelijk is je kruin
> (M. Nijhoff)

Of een zwaard:

> Terug, *zwaard*, doe iets beters dan een kindermoord.
> (M. Nijhoff)

Of sonnetten:

> Klinkt helder op, *gebeeldhouwde sonnetten*
> (Jacques Perk)

Want dat is de macht van de taal. Een zwaard kan, nemen we aan, geen taal vernemen, maar eenmaal aangesproken is er ook voor het zwaard geen ontkomen aan; het is krachtens de grammatica luisteraar geworden.

De aangesproken persoon, het zinsdeel, bestaat uit een substantief(groep) dat (die) lidwoordloos is, en vaak uit een eigennaam. De keus van substantieven is in principe vrij, maar in de praktijk blijkt zij gebonden aan allerhande conventies. 'Dames en heren!' is zo'n conventie. 'Vrouwen en mannen!' is, hoewel niet minder waar, niet gebruikelijk. 'Zonen en dochters!' is altijd objectief waar, omdat geen mens geen zoon of dochter is; maar het is alleen een aanvaardbare aanspreking als de spreker de vader of moeder van de aangesprokenen in kwestie is. 'Broeders en zusters!' daarentegen is een bekende protestantse aanhef, waarin in tegenstelling tot 'Dames en heren!' dames niet voorgaan. Conventies, conventies!

Aangewezen substantieven voor de aangesproken persoon zijn: scheldwoorden ('Schoft!') en hun tegendeel, koosnamen ('Schat!').

Ook kan een aangesproken persoon bestaan uit het persoonlijk voornaamwoord tweede persoon enkel- of meervoud. In dat geval is er geen bijbehorende persoonsvorm; die maakt plaats voor een imperatief:

> Hee *jij*, blijf eens even staan!
> *Jullie* daar, kom maar dichterbij!
> *Gij* allen, weest van harte welkom!

De aangesproken persoon valt structureel búíten de zin, dat wil zeggen, heeft geen invloed op de woordvolgorde of enig ander grammaticaal verschijnsel in de zin waar hij bij hoort. Hij kan aan het begin, aan het eind en ergens in het midden van de zin staan en zelfs een woordgroep onderbreken, bij voorkeur voorafgegaan door een tussenwerpsel:

> Vrienden, vandaag is het feest!
> Vandaag is het feest, vrienden!
> Vandaag, vrienden, is het feest!
> In mijn – o lieveling! – zo vele eenzame uren wordt het verlangen ondraaglijk.

In dat opzicht lijkt de aangesproken persoon zélf wel een tussenwerpsel.

Omgekeerd, sommige tussenwerpsels – met name vloeken en bastaard-vloeken – hebben veel weg van een aangesproken persoon:

> Here God, wat een ellende allemaal!
> Hemel, ik heb me vergist!

(Tussenwerpsels zijn de enige soorten woorden die mét hun woordsoortaan-duiding ook wel als zinsdeel worden opgevoerd, ze zijn dan *per se* geen aangesproken persoon, maar een ander soort zinsdeel. Een tussenwerpsel.)

Merkwaardig is: als deze tussenwerpsels aan het begin van de zin staan zijn ze, eenmaal uitgesproken, nauwelijks van een echte aangesproken per-soon te onderscheiden; de intonatie is zo goed als dezelfde. De toon verschilt wel wat, maar toon wordt in de taalkunde als een persoonlijk sprekersken-merk beschouwd, intonatie daarentegen als een zinskenmerk. (In de westerse talen althans. Er zijn (Afrikaanse) talen bekend waarin toonhoogte een structureel vormkenmerk is. In die gevallen spreekt men van *toontalen.*)

Plaats je 'Here God' of 'hemel' aan het zinseinde, dan heeft de zinsdeel-status wél invloed op de intonatie. Ik zal proberen daar met lees- en accent-tekens iets van weer te geven:

> Wat een ellende allemaal; Hére Gód! (tussenwerpsel)
> Wat een ellende allemaal, Here God. (aangesproken persoon)

U doet er het best aan deze zinnen hardop uit te spreken en in het eerste geval gewoon te vloeken, u weet wel, Gods naam ijdel te gebruiken, en in het tweede geval Hem aan te spreken. Dit laatste is misschien even wennen, maar probeer het en u zult zien dat de intonatie een doorslaggevend vormkenmerk is voor het verschil tussen tussenwerpsel en aangesproken persoon aan het zinseinde.

Over intonatie gesproken. In het kader van de aangesproken persoon is het volgende het vermelden waard.

In de tijd dat men op school nog leerde zinsontleden, werd eens door een mij bekende schoolmeester de aanhef van ons volkslied in de klas ter ontleding voorgelegd (voor het gemak moderniseer ik de spelling):

Wilhelmus van Nassouwe ben ik van Duitsen bloed.

Ook voor doorgewinterde grammatici is dit een erg moeilijke opgave, maar in die klas kwam één jongen met een verrassend antwoord:

Wilhelmus van Nassouwe – aangesproken persoon
ben van Duitsen bloed – naamwoordelijk gezegde
ik – onderwerp

Wat valt hier, zelfs voor een schoolmeester, tegen in te brengen? Die jongen las de zin kennelijk als een vraag aan Wilhelmus. Een vraag naar herkomst, wortels, bloed – kortom zo'n vraag die binnenkort wellicht dankzij de ontdekking van het DNA met objectief bewijsmateriaal beantwoord kan worden. Met enige grafische hulpmiddelen kan worden genoteerd wát die jongen precies las:

Wilhelmus van Nassouwe! (vertel me eens), ben ik van Duitsen bloed?

Met die ongewone uitgang van 'Duitsen' bij 'bloed', een 'het'-woord, had hij geen moeite, want dat volkslied had wel meer raars:

Den vaderland getrouwe blijf ik tot in den doet.

Bovendien zijn er de vrijwel analoge gevallen waarin bij een 'het'-woord het adjectief op ongebruikelijke wijze verbogen is:

van koninklijken bloede
van goeden huize

De jongen kende, als alle schoolkinderen in die jaren, het Wilhelmus van buiten. Maar zonder intonatie. Hij kende het alleen gezongen en daarmee is de taalintonatie verloren gegaan. Wij vinden deze vraag als begin van een nationaal volkslied vreemd, maar in poëzie en zang vindt een kind nooit iets vreemd. Getuige de overgeleverde versjes à la:

Maria zat op majesteit, majesteit, majesteit...

Dat is een van de varianten van:

Maria zat te wee-ee-nen, wee-ee-nen, wee-ee-nen...

Een treurige, maar veel minder geheimzinnige regel dan de vorige.

En getuige het kind dat meende dat eerbied iets eetbaars moest zijn, op grond van het op school geleerde gezang 'Rijst met eerbied'. Het begon als volgt:

Rijst met eerbied, blijde klanken!

Dit kind drong zelfs door in een voetnoot van de streng wetenschappelijke *Verzamelde taalkundige opstellen* (1925) van onze laatste allround neerlandicus pur sang, dr. C.G.N. de Vooys (1873-1955), hoogleraar in de Nederlandse taal- én letterkunde aan de Rijksuniversiteit te Utrecht. Het betreffende opstel, getiteld 'Iets over woordvorming en woordbetekenis in kindertaal' verscheen voor het eerst in 1916 in het gezaghebbende vaktijdschrift *De Nieuwe Taalgids* en was een hoogwaardige voorloper van *Juf, daar zit een weduwe in de boom.*

Maar ik dwaal af. In elk geval is in het voorafgaande aangetoond dat intonatie evenals woordvolgorde een zinsdeelonderscheidend vormkenmerk kan zijn. Voorts is gebleken dat de aangesproken persoon een soort buitenstructureel zinsdeel is, verwant met het tussenwerpsel, het sluitstuk van de woordsoorten. Daarom is de aangesproken persoon bij uitstek geschikt als afsluiting van de zinsdelen. Nietwaar, lezer?

Samengevat

De aangesproken persoon is het zinsdeel waarin de 'spreker' zich rechtstreeks tot de toegesprokene richt. Het heeft geen structurele banden met de rest van de zin. De plaats in de zin kan dan ook sterk variëren. Door deze vrije positie is de aangesproken persoon verwant met het tussenwerpsel. Sommige tussenwerpsels zijn duidelijk een ex-aangesproken persoon. God, wat vreemd allemaal.

Samengestelde zinnen

Afgezien van imperatiefzinnen ('Spreek!') is iedere zin in zoverre 'samengesteld' dat hij meer dan één zinsdeel bevat. Maar in de grammatica is *samengestelde zin* een vakterm geworden waarvan de vakterm *enkelvoudige zin* het tegendeel vormt.

Een samengestelde zin bevat ten minste één zinsdeel dat zelf een zin is, bestaande uit onderwerp, gezegde of nog meer zinsdelen. Dat maakt het zinsontleden niet gemakkelijker, maar een uitstapje naar het dagelijks leven buiten de taalkunde zal laten zien dat zulke verwikkelingen zich ook daar voordoen, zonder de eenvoud van het grondprincipe aan te tasten.

Zoals we het principe van de woordsoorten illustreerden met behulp van de biologische soort in de systematische dierkunde, zo is het zinsdeelprincipe te verhelderen met behulp van het fenomeen 'huis'. Daarover ging ons vorige intermezzo 'De zin staat als een huis' (p. 145-147). We zijn nu toe aan het tweede (en laatste) intermezzo.

Het huis en de bijgebouwen
Het eerste intermezzo was gewijd aan huisdelen zoals vertrekken, etages, toegangen. Ze bestaan bij de gratie van het geheel, het huis. Op vergelijkbare wijze bestaan zinsdelen bij de gratie van de zin. Daarbuiten zijn ze onvindbaar.

De bouwelementen, de woorden, echter, hebben, net als metselstenen, tegels, deuren, ook een afzonderlijk bestaan. Ze liggen klaar (zoals op de bouwplaats of in de fabriek) in het lexicon.

Dit alles geldt voor een enkelvoudig huis. Maar een huis is niet altijd enkelvoudig. Soms horen er bijgebouwen tot het huis: het koetshuis, de stallen, de oranjerie, het theehuis, personeelswoningen. Of, in alledaagser gevallen: een schuur, een werkplaats. Zo vormen hoofd- en bijgebouwen tezamen het Huis (Paleis 'Huis' ten Bosch), een samengesteld huis, waarin hoofdhuis en bijhuizen een welbepaalde plaats en functie hebben.

Net zo bestaan er samengestelde zinnen, zinnen waarvan de samenstellende delen zelf zinnen zijn: de bijzinnen, gedomineerd door een hoofdzin. Zoals bijgebouwen ondergeschikt zijn aan het hoofdgebouw, zo zijn bijzinnen ondergeschikt aan de hoofdzin.

Een bijzin kan een zinsdeelfunctie vervullen die we ook kunnen aantreffen binnen een enkelvoudige zin. Alle zinsdeelfuncties kunnen vervuld worden door een bijzin, behalve de functie 'gezegde'. Wél het gezegdedeel 'predikaatsnomen' kan uit een bijzin bestaan:

Jan werd *dokter.*
Jan werd *wat zijn vader altijd had gehoopt.*

In de Nederlandse grammatica heet zo'n predikaatsnomenzin *gezegdezin.* Dat is zó inconsequent dat ik voorstel met die traditie te breken. Het hart van de zin, ook van de bijzin, is het gezegde, de motor, die van een zin een zin maakt. Dat dit hart niet in kleinere, zelf weer een hart bevattende stukjes hart kan worden uiteengelegd, is een intrigerend verschijnsel, dat niet door troebele terminologie aan het oog mag worden onttrokken. Wij spreken dus van *predikaatsnomenzin.*

De overzichtelijkste soort bijzin is de *bijwoordelijke bijzin*; deze vervult de functie van een bijwoordelijke bepaling:

Hij komt *overmorgen.* (bijwoordelijke bepaling van tijd)
Hij komt *nadat hij het rapport heeft geschreven.* (bijwoordelijke bijzin van tijd)

Hij wandelt *in het park.* (bijwoordelijke bepaling van plaats)
Hij wandelt *waar hij het aangenaam vindt.* (bijwoordelijke bijzin van plaats)

Zij lacht *desondanks*. (bijwoordelijke bepaling van toegeving)
Zij lacht, *hoewel ze treurig gestemd is*. (bijwoordelijke bijzin van toegeving)

Wij werken hard, *tot Rudy's ongenoegen*. (bijwoordelijke bepaling van gevolg)
Wij werken hard, *zodat Rudy doodzenuwachtig wordt*. (bijwoordelijke bijzin van gevolg)

Deze en andere bijwoordelijke bijzinnen beginnen met een onderschikkend voegwoord, waaruit meestal de specificatie van de bijzin al kan worden afgeleid:

omdat – bijwoordelijke bijzin	van reden
zodat –	van gevolg
nadat/voordat –	van tijd
doordat –	van oorzaak
wanneer –	van tijd of van voorwaarde
indien –	van voorwaarde
hoewel/ofschoon –	van toegeving

De *bijvoeglijke bijzinnen* vallen in twee typen uiteen: die welke beginnen met een betrekkelijk voornaamwoord en die welke beginnen met een onderschikkend voegwoord. Bijzinnen beginnend met een betrekkelijk voornaamwoord heten *betrekkelijke bijzinnen* en de andere heten niet nader gespecificeerde bijvoeglijke bijzinnen:

Ik houd van een kamer *met weinig zon*. (bijvoeglijke bepaling bij 'kamer')
Ik houd van een kamer *die op het noorden ligt*. (betrekkelijke bijzin bij 'kamer')

De betrekkelijke bijzin heeft altijd een substantivisch of een pronominaal antecedent:

Ik houd van *een kamer* die...
Hij beschuldigt *haar* die het laatst de kamer uitging.

In de volgende zinnen begint de bijvoeglijke bijzin met een onderschikkend voegwoord:

Ik houd van een kamer *waar* weinig zon komt.
De boodschap *dat* iedereen het pand moest verlaten, werd eerst door niemand geloofd.

Dus: een betrekkelijke bijzin is altijd een bijvoeglijke bijzin, maar niet iedere bijvoeglijke bijzin is een betrekkelijke bijzin. Alleen als de bijzin betrekkelijk is, heet het voorafgaande pronomen of substantief een *antecedent*.

Onderwerps- en voorwerpszinnen bevatten een *voornaamwoord met ingesloten antecedent*:

De slager dronk een glas bier. (onderwerp)
Wie dorst had dronk een glas bier. (onderwerpszin)

De geslaagden feliciteerde hij. (lijdend voorwerp)
Wie geslaagd waren feliciteerde hij. (lijdend-voorwerpszin)

De winnaars overhandigde hij een medaille. (meewerkend voorwerp)
Wie gewonnen hadden overhandigde hij een medaille. (meewerkend-voorwerpszin)

Hij rekent *op succes*. (voorzetselvoorwerp)
Hij rekent *op wat zijn baas hem heeft beloofd*. (voorzetselvoorwerpszin)

Als het antecedent niet is 'ingesloten', maar expliciet pronominaal of substantivisch is weergegeven, is er geen sprake van een subjects- (of objects)zin, maar van een subject (of object) gevolgd door een betrekkelijke bijzin. Het betrekkelijk voornaamwoord vervult dan binnen die bijzin de functie van onderwerp of voorwerp. Dat geldt ook voor een betrekkelijk voornaamwoord met ingesloten antecedent:

Wie dorst had dronk bier. (onderwerp)

De man *die* ik gegroet had, verdween na vijf minuten. (lijdend voorwerp)

Bijzinnen die beginnen met een betrekkelijk voornaamwoord met ingesloten antecedent, kunnen ook volgen op een voorzetsel:

Hij wandelde *in wat* eens een schitterend park was.

Naar analogie van het enkelvoudige 'in het schitterende park' zou men 'in wat eens een schitterend park was' een bijwoordelijke bijzin van plaats kunnen noemen. Den Hertog doet dat ook. De bijwoordelijke bijzinnen kunnen dus niet alleen beginnen met een betrekkelijk voornaamwoord of een onderschikkend voegwoord, maar ook worden ingeleid door een voorzetsel gevolgd door een betrekkelijk voornaamwoord met ingesloten antecedent.

Het zal intussen duidelijk zijn geworden dat de woordvolgorde van de bijzin verschilt van die van de hoofdzin. Dat kunt u in de voorbeelden goed zien.

Een afzonderlijk soort van bijzinnen treffen we aan bij 'zeggen' en verwante werkwoorden zoals 'vertellen', 'vragen', 'beweren' en ook 'geloven', 'beloven', 'weten', 'denken', enzovoorts.

Zij bieden plaats aan heel speciale lijdend-voorwerpszinnen, die beginnen met een onderschikkend voegwoord:

De getuige zei *dat zijn buurman rijk was.*
De rechter vroeg *of de buurman werkloos was.*
De moeder dacht *dat haar dochtertje genoot.*

De hier gecursiveerde zinnen staan in de *indirecte rede.* Een directe weergave van wat de getuige zei, de rechter vroeg, respectievelijk de moeder dacht, luidt:

Mijn buurman is rijk.
Is de buurman werkloos?
Mijn dochtertje geniet.

Deze zinnen staan in de *directe rede* en kunnen ook dienst doen als lijdend-voorwerpszin, al hebben ze de vorm (woordvolgorde!) van een hoofdzin:

'Mijn buurman is rijk.' zei de getuige.
De rechter vroeg: 'Is de buurman werkloos?'
De moeder dacht: mijn dochtertje geniet.

In de indirecte rede wordt de grammaticale persoon van een desbetreffend pronomen aangepast aan die van de in de hoofdzin opgevoerde 'spreker' en de werkwoordstijd aan die van het hoofdzingezegde. Deze aanpassingen in de bijzin zijn in de hier herhaalde voorbeelden gecursiveerd:

Mijn buurman is rijk. ...dat *zijn* buurman rijk *was.*
Is de buurman werkloos? ...of de buurman werkloos *was.*
Mijn dochtertje *geniet.* ...dat *haar* dochtertje *genoot.*

Een aardig soort tussengeval, tussen de directe en de indirecte rede in, zijn zinnen als:

Mijn vader zegt ik groei op voor galg en rad.

Dat kan een correcte mededeling zijn waarin beweerd wordt dat de vader zegt: 'jij groeit op voor galg en rad.' Hier hebben we een combinatie van aanpassing aan de grammaticale persoon van de impliciete spreker 'ik' (een indirecte-rede-kenmerk), en de woordvolgorde van de directe rede gebezigd door de expliciet genoemde spreker, de vader.

Alleen in de zuivere directe rede is de lijdend-voorwerpszin een letterlijk citaat. Staat de hoofdzin in de lijdende vorm, dan krijgen we een onderwerpszin:

Gemompeld werd *dat het allemaal voorbij was.*
'*Het is allemaal voorbij*', werd er gezegd.

In beginsel kunnen bijzinnen zelf weer bijzinnen bevatten die bijzinnen bevatten die bijzinnen bevatten die bijzinnen bevatten die... ad libitum. Tenminste, als je je er niet om bekommert of men je nog kan volgen, ja, of je jezelf nog kan volgen. Want dat wordt al spoedig moeilijk, zoals blijkt uit het bekende voorbeeld dat moet aantonen dat grammaticale correctheid gepaard kan gaan met onbegrijpelijkheid:

> De vrouw die de poes aaide lachte.
> De vrouw die de poes die naar een vogeltje mekkerde aaide lachte.

Dat gaat nog net, geloof ik. Maar neem nu:

> De vrouw die de man die de poes die de muis die van de kaas die op tafel stond at zag aaide haatte lachte.

Hier haken we af. Deze structuur is op een analytisch niveau wel als grammaticaal correct te onderkennen, maar we kunnen de zin niet als een gestructureerde informatieve eenheid op gebruiksniveau vatten. *We can't grasp it.* Ik weet ook niet waarom dat in het Engels moet. Maar het moet, vind ik.

Met andere meerledig samengestelde zinnen hebben we minder moeite. Daarin zijn dan de bijzinsfuncties niet zo opeengestapeld eentonig dezelfde, maar rijkelijk gevarieerd:

> Mijn vader die toen ik hem het verhaal over de vrouw en de poes vertelde, in lachen uitbarstte, wilde, zodra onze poes ineens tegen zijn eigen spiegelbeeld blies, meteen een boek schrijven over het Toeval, dat de hele wereld zou verbazen omdat hij nu iets begreep dat zelfs Carl Gustav Jung was ontgaan.

Als ik goed heb geteld bevat deze samengestelde zin zes bijzinnen. Maar telt u het alstublieft na.

Deel III
De herkomst van de grammatica

Het grammaticale erfgoed

'Traditie! Traditie!' juicht het koor, vader Tevje voorop, in *Anatevka (Fiddler on the Roof)*. Het is een ware lofzang, met een subtiel verborgen ironie.

Traditie is dan ook iets prachtigs. Maar klakkeloze handhaving is riskant. Fanatiek afbreken ook.

Als klein kind ben je volledig aangewezen op de traditie, op wat je wordt doorgegeven door de ouderen, de ouders in het bijzonder. Volwassenen zijn in staat, als de overgeleverde regels eenmaal verworven zijn, ze min of meer onafhankelijk te beoordelen en te heroverwegen. Dat geldt ook voor de overgeleverde grammaticale regels. Hoe verhouden zij zich tot de actualiteit van onze moedertaal?

Het grammaticale erfgoed omvat een eeuwenoud inzicht in taal dat ons veel leert over onze moedertaal. Voor een kritische bezinning op de grammaticale traditie moeten we om te beginnen één ding goed weten: zij heeft zich ontwikkeld uit de grammatica van de klassieke talen Latijn en Grieks.

De classificatie van woordsoorten is afkomstig uit de Griekse grammatica (Apollonius Dyscolus, ongeveer 150 na Christus), de zinsontleding uit de Griekse retorica (Aristoteles, 384-322 voor Christus). Via de studie (en de beheersing! (Erasmus, Hooft, Huygens en vele anderen)) van het Latijn, dat in grammatische structuur sterk met het Grieks overeenkomt, zijn de principes van woordsoorten en zinsdelen terechtgekomen in de Nederlandse grammatica. Maar Nederlands is geen Latijn. Toch, beide talen bevatten woorden en zinnen, die met behulp van de klassieke principes goed bestudeerd kunnen worden.

Woorden zijn onverbrekelijke eenheden van vorm en betekenis, die op grond van hun gedrag ten opzichte van elkaar en van de dingen die zij noemen of aanduiden, geclassificeerd kunnen worden. De woordsoortbetekenis speelt in de classificatie een grote rol, tezamen met de daarmee gepaard gaande uiterlijke vormkenmerken (verbuiging, vervoeging, woordvolgorde). De vorm-betekeniseenheid is de onbetwiste grondslag voor de classificatie in soorten.

De zinsdelen echter berusten op de weergegeven gebeurtenis, in het bijzonder op de rol en de positie van de personages die aan die gebeurtenis deel hebben. De uiterlijke zinsdeelkenmerken waaraan we die rol en positie kunnen aflezen, zijn in het Nederlands lang niet allemaal van dezelfde aard als in het Latijn. Zo kan een Latijns meewerkend voorwerp bestaan uit één enkel substantief dat helemaal in zijn eentje laat zien dat het een meewerkend voorwerp is; 'amico' bijvoorbeeld, dat 'aan een vriend' betekent. De lexicale betekenis 'vriend' is uitgedrukt in het stuk 'amic-' en de zinsdeelfunctie 'meewerkend voorwerp' aan de uitgang '-o'. 'Amicus' betekent eveneens 'vriend', maar aan de uitgang '-us' wordt de positie van de desbetreffende vriend duidelijk: hij is het onderwerpspersonage, fungeert als bron, beginpunt. 'Amicus' kan ook predikaatsnomen zijn, maar dan betreft 'Amicus' niet rechtstreeks de vriend, maar de vriend-*status* die indirect aan een eerder genoemde persoon wordt toegekend: 'Jan is een vriend (van ons).' (Zie p. 169: 'Mijn pianoleraar is een Rus.')

Het Latijn kent geen lidwoorden. Dus een Nederlands zinsdeel waarin een lidwoord voorkomt, is ook dáárdoor anders gestructureerd dan het equivalente zinsdeel in het Latijn. Voor een goede Nederlandse vertaling van een Latijns lidwoordloos zinsdeel is bijna altijd het invoegen van een lidwoord noodzakelijk. En om die uitgang '-o' in 'amico' in het Nederlands uit te drukken móéten we vaak een voorzetsel invoegen:

Zij plukt bloemen voor een vriend.

Dit meewerkend voorwerp bestaat in het Latijn uit één woord ('amico'), met een uitgang die ons inlicht omtrent de zinsdeelfunctie. De Nederlandse woordgroep die in een zin verwijst naar een personage met dezelfde rol als het 'amico'-personage van een Latijnse zin, heet daarom eveneens meewerkend voorwerp. De Nederlandse zinsdeelnamen betreffen dus in oorsprong stukjes uit het Latijn vertaald Nederlands.

Vandaar dat inconsequente bij het meewerkend voorwerp: nu eens met, dan weer zonder voorzetsel. Dat komt gewoon door de vertaling uit het Latijn: die vergt nu eens wel, dan weer niet een voorzetsel.

De formeel grammaticale middelen die een zinsdeelfunctie kenbaar maken, zijn in het Latijn niet dezelfde als in het Nederlands. Maar de zinsdeelfunctie zélf, het weergeven van een bepaalde personagerol, is wél dezelfde: meewerkend voorwerp (of onderwerp, lijdend voorwerp, enzovoorts). Een Nederlands zinsdeel dat die functie vervult is herkenbaar en aanwijsbaar. Dat is, met een beetje oefenen, niet zeer moeilijk. Moeilijk wordt het pas als we precies willen vaststellen welke vormelijke kenmerken met die zinsdeelfunctie corresponderen. In het Nederlands is dat een gecompliceerdere aangelegenheid dan in het Latijn, waarin de uiterlijke vorm van het substantief zelf al zoveel informatie geeft over de zinsdeelfunctie.

Naamvallen

We hadden het over 'de vorm van het substantief zelf, die informatie geeft over de zinsdeelfunctie'. Deze bijzonderheid vormt het middelpunt van het verschijnsel *naamval*.

Naamvallen zijn een belangrijk bestanddeel van de traditie. Het Latijn wemelt ervan. In het hedendaagse Nederlands echter zijn ze schaars.

De term 'naamval' is een vertaling van het Latijnse *casus* dat 'val' betekent. Het gaat om de 'val' van een *nomen*, een naam. Het verschijnsel is, ook in het Latijn, niet beperkt tot substantieven, maar strekt zich ook uit over adjectieven en pronomina; in sommige talen ook over lidwoorden.

Een naamval is een vorm 'waarin' een woord 'staat'. In het Latijn is de naamval te onderscheiden aan de uitgang van het substantief en van de bijbehorende adjectieven en pronomina en ook aan de uitgang van een persoonlijk voornaamwoord. Je kunt aan de uitgang de zinsdeelfunctie van het woord of de woordgroep aflezen.

In het Duits kennen we vier naamvallen, bij substantieven altijd uitgedrukt in het bijbehorende lidwoord (soms ook in het substantief zelf):

der Mann (1e naamval)
des Mannes (2e naamval)
dem Mann(e) (3e naamval)
den Mann (4e naamval)

Eerste naamval wil zeggen 'subject' (of 'predikaatsnomen'):

Der Mann schweigt.

Tweede naamval wil zeggen 'afkomstig van'; gewoonlijk optredend in een bijvoeglijke bepaling:

Der Sohn *des Mannes.*

Derde naamval wil zeggen 'meewerkend voorwerp' (of 'voorafgegaan door een bepaald soort voorzetsel'):

Ich gebe *dem Mann* das Geld.
Er spaziert mit *dem Mann.*

Vierde naamval wil zeggen 'lijdend voorwerp' (of 'voorafgegaan door een bepaald soort voorzetsel'):

Ich sehe *den Mann.*
Sie kauft es *für den Mann.*

De voorzetsels, zo luidt het grammaticale jargon, 'regeren' een bepaalde naamval.

In het Latijn is, zoals gezegd, de naamval altijd zichtbaar aan het substantief zelf. Het Latijn kent zes naamvallen:

1e naamval: amicus	(subject of predikaatsnomen)
2e naamval: amici	(bijvoeglijke bepaling met de betekenis 'afkomstig – of eigendom van')
3e naamval: amico	(meewerkend voorwerp)
4e naamval: amicum	(lijdend voorwerp; of: voorafgegaan door een bepaald soort voorzetsel)
5e naamval: amice	(aangesproken persoon)
6e naamval: amico	(wat in het Nederlands met een passieve 'door'-bepaling vertaald zou worden; of: voorafgegaan door een bepaald soort voorzetsel)

Ook in het Latijn 'regeren' de voorzetsels een bepaalde naamval. Soms hebben twee naamvallen dezelfde vorm, maar een verschillende functie ('amico').

Een soort naamvalshomonymie. In elk geval is aan de vorm van het substantief een grammatische functie af te lezen, zij het niet in alle gevallen ondubbelzinnig. Maar wel zijn er met zekerheid allerlei functies uit te sluiten en, omgekeerd, zijn bepaalde functies wél ondubbelzinnig aan één naamval gebonden (subject, direct en indirect object, aangesproken persoon).

De semantische kracht van de naamval is zó overheersend dat in onze grammaticacultuur velen zinsdeelfunctie en naamval vereenzelvigen; de grammatische functie geeft de doorslag om van 'naamval' te spreken, ook al is er nergens een woorduitgang te bekennen. Zo spreekt nog menigeen die ouder is dan vijfenveertig jaar van een 'vierde naamval' in de zin:

Jet plaagde Jeanne.

'"Jeanne" is vierde naamval.' En verder: '"Jet" is eerste naamval.'

Jet gaf Jeanne haar rekenschrift terug.

In deze zin 'is "Jeanne" derde naamval'.

U ziet: er ís helemaal geen naamval, de betreffende woorden zijn onverbogen en verraden hun grammatische functie niet. Die moeten we uit andere gegevens dan de woordvorm zelf afleiden (woordvolgorde, enzovoorts). Strikt genomen vermeldt men dus in zulke gevallen de naamval die optreedt in de Latijnse vertaling van het desbetreffende zinsdeel! (In het Latijn worden ook eigennamen verbogen tot naamvallen.) Uitgangspunt is de *zinsdeelbetekenis*. In deze oneigenlijke omgang met de 'naamvallen' heeft de betekenis onmiskenbaar voorrang boven de vorm. Dat is overigens ook het geval in de aloude Latijnse namen van de echte naamvallen:

1e naamval: nominatief (noemt het naamgevingsaspect; 'nomen' is 'naam')

2e naamval: genitief (noemt het afkomstaspect; vgl. 'genereren', 'generatie', 'gen')

3e naamval: datief (noemt het 'geef'-aspect; *dare = donare* 'geven', vgl. 'donatie', 'donor')

4e naamval: accusatief	(noemt een aanwijsaspect, aanwijzen als schuldige; vgl. 'J'accuse!' 'Excuus!')
5e naamval: vocatief	(noemt een roep-aspect, 'roept' iemand 'aan'; aangesproken persoon, vgl. 'evocatie', 'provocatie')
6e naamval: ablatief	(noemt verlatings- of loslatingsaspect, 'vandaan'; passieve 'door'-bepaling: 'De tafel werd door vader ("vanuit" vader) zwart gebeitst.')

Allemaal semantisch gedicteerde onderscheidingen.

Het semantische aspect is en blijft dominant. Toch is het een in de taalkunde algemeen nagestreefd doel, de grammaticale benoemingen van zinsdelen te kunnen verantwoorden met behulp van complementaire betekenis- én vormkenmerken. In de Latijnse grammatica gaat dat haast vanzelf, doordat zoveel vormkenmerken direct in het te benoemen zinsdeel aanwijsbaar zijn: naamvallen. De woordvolgorde is in het Latijn dan ook veel vrijer dan in het Nederlands, en veel minder dwingend een grammaticaal vormkenmerk.

De conclusie is eenvoudig. De Nederlandse grammatica draagt nog altijd de sporen van haar afkomst: de Latijnse grammatica. Dat is niet verwonderlijk, want de grondprincipes daarvan zijn ook werkzaam in het Nederlands. Maar het Nederlands is geen vertaald Latijn.

Het verschijnsel 'naamval' doet zich in het hedendaagse Nederlands nog maar zelden voor. Een halve eeuw geleden nog wel, maar dan voornamelijk in de geschreven taal (spelling van De Vries en Te Winkel):

Den vreemden man gaf Jan een gulden.

Op grond van 'den vreemden' kan 'den vreemden man' onmogelijk subject zijn. Zonder uitzondering 'overrulet' de naamval de woordvolgorde. 'Den vreemden man' is hier met honderd procent zekerheid meewerkend voorwerp.

In het hedendaagse Nederlands komen we als enige echte naamval nog wel genitieven tegen, maar die hebben een enigszins plechtig en archaïsch karakter:

De problemen *der onderwijzers* zijn groot en talrijk.
Tot de taak *des mans* behoren nu ook huishoudelijke bezigheden.

Voor eigennamen is de genitief nog heel gewoon:

Jans ideeën.
Marietjes hoed.

De naamvallen zijn in het Nederlands bijna uitgestorven. Springlevend echter zijn onze onderscheiden pronominavormen, die iets over de zinsdeelfunctie onthullen:

ik (subject)	- mij (object, of vervolg op voorzetsel)
jij (idem)	- jou (idem)
hij (idem)	- hem (idem)
zij (idem)	- haar (idem)
wij (idem)	- ons (idem)
gij (idem)	- u (idem)
zij (idem)	- hen/hun (idem)

Aan al deze pronominale vormen valt (iets over) de zinsdeelfunctie af te lezen en in zoverre lijken ze op naamvalsvormen. Maar de woordidentiteit van de paren is wat de vorm betreft ver te zoeken: 'mij' is moeilijk te beschouwen als een verbogen vorm van 'ik' op de manier waarop 'amico' een verbogen vorm is. Bij de pronomina is de overeenkomst tussen de subjects- en de objectsvorm vrijwel nihil.

Echte naamvallen vinden we alleen nog in oudere fasen van onze taal (dus in archaïsmen) én in vaste verbindingen, uitdrukkingen, zegswijzen en spreekwoorden.

De vaste verbindingen in onze taal hangen dan ook nauw samen met het verleden. De traditionele grammatica komt daardoor in de problemen, maar heeft er iets op gevonden; een middel dat in de praktijk aardig werkt, hoewel het dicht in de buurt van een gelegenheidsargument komt. De vaste verbindingen vormen als het ware het geweten van de grammatica.

Dat lijkt me een mooi thema om dit boek mee af te sluiten.

Vaste verbindingen

Roet in het eten of het zout in de pap?
In de Nederlandse taalkundige vakliteratuur is een zekere Marietje bekend geworden omdat zij Jan de bons gaf:

Marietje gaf Jan de bons.

Hoe ontleden we deze zin? Voor we dat kunnen doen, moet de boodschap zijn overgekomen. Die luidt:

Marietje verbrak haar relatie met Jan.

Voor we nu verder gaan, rekenen we even af met creatieve geesten die tegenwerpen dat die boodschap helemaal niet vaststaat. Zij herinneren zich nog de tijd waarin 'bons' het meervoud van 'bon' was, en de aansporing om vooral veel bons te sparen ten behoeve van de plaatjes in het Verkade-album. Daar kwam heel wat correspondentie met de Zaanse firma aan te pas. Marietje kan in de eerstgenoemde zin wel samen met Jan aan hun verzameling werken en hem de (Verkade-)bons aangeven.

Inderdaad. Dat kan. Ik ga daar zo uitvoerig op in, omdat 'tegenargumenten' van dit type verre van zeldzaam zijn. De taalkundige moet zich daardoor vooral niet van de wijs laten brengen. De identiteit van een zin staat en valt met de erdoor opgewekte voorstelling. Zinsontleding en woordbenoeming zijn geheel daarop gebaseerd.

Wie 'bons' leest als het meervoud van 'bon' heeft daartoe uiteraard het volste recht, maar in dat geval gaat het over een andere zin dan die welke ons meedeelt dat Marietje haar relatie verbrak. En over díe zin gaan we het hebben.

De woordbenoeming lijkt simpel:

Marietje	- eigennaam
gaf	- zelfstandig werkwoord
Jan	- eigennaam
de	- lidwoord van bepaaldheid
bons	- zelfstandig naamwoord (enkelvoud)

De zinsontleding ook:

gaf	- persoonsvorm; werkwoordelijk gezegde
Marietje	- onderwerp
de bons	- lijdend voorwerp
Jan	- meewerkend voorwerp

Maar zo simpel is het niet. Er is namelijk een vreemde discrepantie tussen de betekenis van het zinsgeheel en die van de afzonderlijke woorden. En dat niet alleen. Allerlei manipulaties die bij ogenschijnlijk grammaticaal analoge zinnen uitvoerbaar zijn, stuiten bij déze zin op weerstand. Zo'n analoge zin is bijvoorbeeld:

Marietje gaf Jan de krant.

Wat die niet allemaal toelaat aan structurele manipulaties! We zetten er enkele op een rij, in gezelschap van hun door de 'bons'-zin geblokkeerde equivalenten:

Marietje gaf Jan de kranten.
*Marietje gaf Jan de bonzen.

Marietje gaf Jan geen krant.
*Marietje gaf Jan geen bons.

Marietje gaf Jan de nieuwe krant.
*Marietje gaf Jan de nieuwe bons. (of enig ander adjectief)

Marietje gaf Jan de krant die net gekomen was.
*Marietje gaf Jan de bons die... (of welke betrekkelijke bijzin dan ook)

Marietje bracht Jan de krant.
*Marietje bracht Jan de bons. (of enig ander werkwoord)

Marietje gaf Jan haar krant.
*Marietje gaf Jan haar bons.

Andere uitbreidingen zijn weer wél mogelijk:

Gisteren gaf Marietje Jan de krant/de bons.
Marietje gaf Jan helaas de krant/de bons.

Het onwrikbare zit hem in 'de bons' en 'geven': 'bons' verdraagt geen meervoud, geen adjectief of andere bijvoeglijke specificatie, geen onbepaald lidwoord, geen bezittelijk voornaamwoord en geen ander werkwoord dan 'geven' (met één voorbehoud, zie p. 234).

De onverbrekelijke verbinding van 'de' met 'bons' en van 'de bons' met 'geven', samengaand met de 'verbroken-relatie'-betekenis, maakt dat de grammatica hier spreekt van een *werkwoordelijke uitdrukking.* Het idee daarachter is dat de gehele combinatie de semantische waarde heeft van één niet-samengesteld werkwoord. Immers, binnen zo'n werkwoord, bijvoorbeeld 'breken', zijn geen afzonderlijke stukjes aan te wijzen die 'kapot' uitdrukken en 'vaneen', terwijl 'kapot' en 'vaneen' onvervreemdbaar tot de betekenis van 'breken' behoren.

De werkwoordelijke uitdrukking hoort thuis bij de woordsoorten en is eigenlijk een bijzonder soort van werkwoord: er is een combinatie van woordvormen die semantisch functioneert als één geheel, één werkwoord. In de zinsontleding is 'gaf de bons' werkwoordelijk gezegde, net zoals een gewoon werkwoord dat zou zijn.

Het argument om 'de bons geven' als één werkwoord te beschouwen is in hoge mate semantisch. Er zijn wel geledingen, zelfs met een woordvormstatus, maar semantisch tellen die niet mee. Tenminste, als we ons beperken tot de lexicale betekenis. Want grammatisch verrichten de geledingen 'geven' en 'de bons' wel degelijk hun semantische taak; 'geven' heeft bovendien duidelijk een eigen lexicale waarde. Immers, 'de bons', wát dat ook mag zijn, wordt zonder twijfel 'gegeven' en dus ook door de betrokkene ontvangen, of beter: gekregen, zoals je ook de griep krijgt, passief en onvrijwillig:

Jan *kreeg* van Marietje *de bons*.

Er zijn meer werkwoordelijke uitdrukkingen met 'geven' en een pendant met 'krijgen':

De chef gaf Paul *zijn congé*.
Paul *kreeg* van de chef *zijn congé*.

Het bezittelijk voornaamwoord is hier 'vast', verplicht, dat wil zeggen slechts variërend met de betreffende grammaticale persoon, het geslacht en het getal:

Hij gaf de *winkelmeisjes hun* congé.
Hij gaf *mij mijn* congé.

Een minder parlementair synoniem is 'de zak geven'.
Het bijzondere van 'congé' is dat we het buiten de werkwoordelijke uitdrukking niet kennen (in tegenstelling tot 'bons' en 'zak'). Zo zijn er nog wel meer gevallen:

Hij gaf er de *brui* aan.
Hij ging over de *schreef*.
Hij had iets op zijn *kerfstok*.

Allemaal substantieven die buiten hun werkwoordelijke uitdrukking niet optreden.
Overeenkomstig het hier weergegeven principe zijn er nog andere woordsoortelijke uitdrukkingen, zoals de *voorzetseluitdrukking*. Een woordgroep die met een voorzetsel begint en een substantief bevat en die geen

grammatische uitbreiding toelaat, maar in haar geheel als 'ongeleed' voorzetsel fungeert:

met het oog op
in weerwil van
aan de hand van
met uitzondering van

Maar de werkwoordelijke uitdrukkingen zijn verreweg het talrijkst. Voor de grammatica zijn ze een broeinest van ambivalentie. De deelnemende eenheden gedragen zich in eerste instantie volgens de grammaticale wetten, maar vertonen vervolgens allerlei structurele afwijkingen. Bovendien presenteren zij een semantisch geheel dat niet aan de delen is af te lezen; een al even rare afwijking. Ter verduidelijking van een en ander zoekt de grammaticus naar één gewoon werkwoord met een betekenis, overeenkomstig die van de uitdrukking. Welk werkwoord zou 'de bons geven' kunnen vervangen?

Gek genoeg komt 'verstoten' dicht in de buurt, al is dat wat zwaar en plechtstatig en, historisch gezien, als handeling voorbehouden aan fundamentalistische mannen. Toch is de verwantschap tussen 'stoot' en 'bons' verrassend. 'Afdanken' maakt ook een goede kans. Grammaticaal zitten we met het probleem dat 'verstoten' en 'afdanken' een lijdend voorwerp nodig hebben en 'de bons geven' eist een meewerkend voorwerp. 'De relatie verbreken met' vertoont nóg weer een andere grammatische structuur.

Ondanks het van de delen onafhankelijke betekenisgeheel stellen de werkwoordelijke uitdrukkingen ons voor problemen die zich bij een gewoon werkwoord niet voordoen. Ze staan in zinnen die zo op het oog niets prijsgeven van hun structurele onwilligheid. Je moet flink aan het werk om erachter te komen dat:

Marietje gaf Jan de bons.

niet net zo overzichtelijk te ontleden is als:

Marietje gaf Jan de krant.

De werkwoordelijke uitdrukkingen, kortom, verstoren de illusie van een ijzeren regelmaat van woord en zinsdeel. Tal van zinnen immers zijn niet toegankelijk voor de analysemiddelen van onze grammaticale erfenis. Om dat onder ogen te kunnen zien moet je natuurlijk wel die middelen eerst tot je beschikking hebben en ze op die basis grondig gaan bestuderen. Dan blijkt dat de hedendaagse grammatica alleen probleemloos opgaat voor woord voor woord doorzichtige constructies die nú een zin tot stand brengen. Zij berusten inderdaad op de gangbare woordsoorten en zinsdelen.

Maar de realiteit is dat onze zinnen (misschien wel de meeste, wie zal het zeggen?) vol zitten met fossiele constructies en woorden die werkzaam geweest zijn in het verleden, en daardoor niet voldoen aan de voorwaarden die van kracht zijn voor hun hedendaagse parallellen.

Fossielen. Ze zijn vast. Niet plooibaar. Maar wel functioneel en herkenbaar, al dan niet na intensieve naspeuringen. Zeer veel werkwoordelijke uitdrukkingen bevatten een vorm van beeldspraak, waarvoor je niet eens altijd veel verbeeldingskracht nodig hebt om die te kunnen duiden:

de situatie goed *in de hand hebben*
(iemand) *de mond snoeren*
(zijn) *steentje bijdragen*
een duit in het zakje doen
van een mug een olifant maken
een steek laten vallen
(zich) *de kaas van het brood laten eten*

De betekenis van deze werkwoordelijke uitdrukkingen is af te leiden als je ze opvat als beeldspraak. De oude beelden zijn ook nu nog geldig en interpreteerbaar; dat is een prettig hulpmiddel voor wie het Nederlands als vreemde taal moet verwerven.

Er zijn nog andere soorten vaste werkwoordelijke verbindingen, die weliswaar niet moeilijk interpreteerbaar zijn, maar waarvan het werkwoord zó 'vast' is dat het naar ons gevoel iets willekeurigs heeft:

afscheid *nemen*
welkom *heten*
een belofte *doen*
een gelofte *afleggen*
een vraag *stellen*
een afspraak *maken*

Dat het 'afscheid *nemen*' is en niet 'afscheid *doen*' bijvoorbeeld, is niet te beredeneren. Dat moet je weten. Net zoals je moet weten dat het '*de* straat' is en '*het* plein', of 'wachten *op*' en 'lachen *om*'.

Om de betekenis van werkwoordelijke uitdrukkingen te achterhalen, is de beeldspraakinterpretatie een grote steun, maar vaak moet men echt op zoek gaan naar concrete gegevens uit het verleden die in het heden niet meer vindbaar zijn. Een 'kerfstok' was een stok waarop winkel- en herbergschulden door een inkerving werden vastgelegd ('iets op zijn kerfstok hebben'). Een 'schreef' was een grensstreep ('over de schreef gaan'), en 'brui' waardeloze poespas waarvan men graag afstand deed ('de brui eraan geven'). Bij beeldspraak spreken we van figuurlijk taalgebruik, met als tegenhanger letterlijk taalgebruik.

Op dit ogenblik gaan veel taalontwikkelingen zo snel dat we de gang van letterlijk naar figuurlijk soms van nabij kunnen volgen. De komende generatie, geheel en al digitaal opgevoed, zal moeite hebben met de 'paar streepjes verhoging' van de kwikthermometer, die eenzelfde curiositeitswaarde zullen krijgen als iets dat men 'op z'n kerfstok heeft'.

De werkwoordelijke uitdrukkingen en andere vaste verbindingen maken het ten enenmale onmogelijk dat zinsontleden een automatisme wordt, om maar te zwijgen van vertalen. Zij verhinderen het bestaan van blindelings hanteerbare grammaticaregels. Zij doen ons inzien dat de taal een verleden heeft dat tot op de dag van vandaag in de zinnen aanwezig is en daar dikwijls aan is af te lezen. Ze confronteren ons krachtig met het verschijnsel 'beeldspraak' en dus met de tegenstelling 'letterlijk' – 'figuurlijk'. Als je je daarin verdiept blijkt dat de taal, met haar zo manifeste verleden, boordevol beeldspraak is die we op het eerste gezicht niet als zodanig herkennen. 'Iemand de bons geven' noemen we figuurlijk taalgebruik, omdat er geen fysieke stomp wordt uitgedeeld. Maar 'de relatie verbreken' beschouwen we niet als figuurlijk. Concreet verbróken wordt er evenwel niets. Goed beschouwd zijn totaal beeldspraakloze zinnen vrij schaars. Zelfs allerlei gewone werkwoorden blijken voor de oplettende lezer beeldspraak te bevatten, of iets dat daar sprekend op lijkt, en de schrik 'slaat' de taalkundige 'om het hart'. Maar hij moet zich bij het verschijnsel neerleggen. Spannend is het wel.

Het boek staat in de kast.

Is dat letterlijk waar? Is het geen beeldspraak waarin het boek als een levend wezen (een mens, een paard) wordt voorgesteld dat echt kan staan? En als een boek op tafel 'ligt'? En denk eens na over wat er in een boek geschreven 'staat'. Hoe 'zit' dat?

En nu gaat het nog niet eens om vaste verbindingen. We zien hier hoe het letterlijke en het figuurlijke met elkaar verstrengeld zijn.

De woordsoorten en de zinsdelen zijn zo fundamenteel dat ze ook in een vaste verbinding nog herkenbaar zijn: de afzonderlijke lexicale betekenissen leggen het af tegen de nieuwe betekenis van het geheel en vragen om een figuurlijke duiding van wat in het verleden letterlijk waar was. De macht van de eeuwenoude grammatische onderscheidingen tasten ze niet aan. Integendeel, ze bevestigen die als bestendige functies die ons een beeld verschaffen van de werkelijkheid dat slechts heel langzaam verandert, zonder zijn afkomst te verloochenen.

Even leek het of de vaste verbindingen, omdat zij zinsontleding als rechtstreeks automatisme onmogelijk maken, roet in het eten van de grammatica gooien. Het enige dat in de moedertaal onafwendbaar en onmiddellijk plaatsvindt is onze bliksemsnelle interpretatie en de daarmee verbonden voorstelling.

De vaste verbindingen zijn organisch voortgekomen uit het zichtbaar gebleven verleden. Met dat wat vroeger werd geweten en zich nog altijd toont. De vaste verbindingen. Zij zijn het zout in de pap. Het geweten van de grammatica.

Register